Le diable

Jacques DUQUESNE

Le diable

DOCUMENT

Avant-propos

— Quel sera le sujet de votre prochain livre ?

— L'histoire du diable.

— Du diable ? ! On parle de lui à tout propos, c'est vrai. Mais nous ne sommes plus au temps de l'Inquisition ni à celui des sorcières au nez crochu.

— Tant mieux. Pourtant, aujourd'hui comme hier, et peut-être plus qu'hier, une question tracasse ou torture l'humanité. C'est l'existence du Mal, sous toutes ses formes. Il est partout. Portant des noms multiples. Bougeant quand le monde bouge, pour inventer de nouvelles méthodes, utiliser de nouveaux moyens. Tout progrès, technique ou autre, a ainsi deux faces : une noire et une blanche.

La question est encore plus rude pour ceux qui croient en la bonté et en la puissance des dieux, ou d'un Dieu. Comment ces dieux, ou ce Dieu, peuvent-ils tolérer le Mal ? Paul Ricœur, lors d'une conférence donnée à Lausanne en 1985, constatait que les plus grands philosophes et les plus grands théologiens « rencontrent le Mal comme un défi sans pareil ». Et même qu'ils osent l'avouer ! C'est dire… L'important, ajoutait Ricœur, n'est pas cet aveu mais la manière dont le défi, voire l'échec, est reçu : comme « une invitation à penser moins ou une invitation à penser plus, voire à penser autrement ? ».

— Et vous avez la réponse, vous ? Vous n'êtes ni philosophe, ni théologien, ni…

— Non. Mais je cherche. Et j'essaye d'aider les autres à penser autrement. J'ai rencontré le Mal dès l'enfance.

Comme beaucoup. J'y ai consacré un roman, *La Grande Triche*, aujourd'hui oublié. Et puis j'y suis revenu, explorant à ma manière les réponses que donnent les philosophes ou les théologiens évoqués par Ricœur. Par exemple, le péché originel dans *Le Dieu de Jésus*. Puis les accidents de la Création après le tsunami, en décembre 2004, avec *Dieu, malgré tout*. À ce moment, j'attendais une prise de parole des autorités religieuses. Mais non. Elles ont dit leur compassion, lancé des appels à la solidarité, mais ne se sont pas lancées dans la recherche d'explications. Elles n'ont guère apporté de réponse, de petit commencement de réponse, à la question qui détourne tant de gens de la foi : s'il y a un Dieu bon et tout-puissant, pourquoi les tsunamis, pourquoi les cancers des bébés, pourquoi... Alors, j'ai cherché des éléments de réflexion chez les philosophes, les théologiens, les Écritures, et ainsi de suite. Je suis revenu à ces questions avec *Judas*...

— Pourquoi le diable aujourd'hui ?

— Parce que c'est l'une des réponses que les hommes ont trouvées, à travers les siècles, dans toutes les civilisations. Et son histoire nous en dit beaucoup, aide à comprendre.

— C'est souvent folklorique.

— Parfois, oui. Et même assez drôle, vous le verrez, si vous lisez ces pages. Tragique aussi. Déconcertant. Dramatique et ridicule. Mais toujours éclairant. Je l'avoue : en travaillant sur cette histoire, j'ai fait bien des découvertes. Un peu comme ces archéologues qui fouillent le sol, creusent, grattent, et trouvent un petit morceau de poterie, un bout de pierre. Et qui tentent d'assembler tout cela. Pour comprendre, reconstituer...

— Quand même, vous n'êtes pas un scientifique.

— Non, je suis journaliste et heureux de l'être. J'essaye de vulgariser – je l'ai souvent répété –, et ce mot pour moi n'est pas péjoratif. Vulgariser, c'est annoncer ou rappeler à un plus grand nombre ce qui n'est connu que d'un petit nombre. Cela vaut la peine, non ?

J.D.

Abréviations

Ap	Apocalypse
I Ch	Premier Livre des Chroniques
I Co	Première lettre de Paul aux Corinthiens
II Co	Deuxième lettre de Paul aux Corinthiens
Dn	Livre de Daniel
Dt	Deutéronome
Ep	Épître de Paul aux Éphésiens
Es	Livre d'Ésaïe ou Isaïe
Ex	Exode
Ez	Ézéchiel
Gn	Genèse
I He	Premier Livre d'Henoch (réf. non biblique)
Is	Livre d'Isaïe ou Ésaïe
Jn	Évangile de Jean
I Jn	Première épître de Jean
Ju	Épître de Jude
Lc	Évangile de Luc
Mc	Évangile de Marc
Mt	Évangile de Matthieu
Nb	Livre des Nombres
Ph	Épître aux Philippiens
Pr	Livre des Proverbes
Rom	Épître aux Romains
I S	Premier Livre de Samuel
II S	Deuxième Livre de Samuel
I Tm	Première épître à Timothée
Vie lat. Ad.	Vie latine d'Adam et Ève (réf. non biblique)
Za	Livre de Zacharie

I

Des diables partout

Satan est peut-être unique, mais une foule le précéda et l'accompagna.

Toutes les religions dont on connaît les origines ont enseigné l'existence de forces du Mal – souvent des êtres – responsables des imperfections de l'univers et des souffrances qui s'abattent sur les hommes, inspiratrices aussi des mauvaises pensées qui parfois les animent.

Ainsi, en Afrique noire, continent où l'on a retrouvé les traces des premiers humains, des esprits maléfiques semblent avoir circulé toujours et partout, peuplant jungles, savanes, forêts et fleuves, agissant dans tous les groupes, se partageant de sombres tâches.

Bien plus, les dieux créateurs de la Terre eux-mêmes se montrent parfois capables de mal faire. C'est notamment le cas chez les Dogons, peuple vivant dans l'actuel Mali et qui a laissé un art très riche : Amma, être suprême à l'origine de toutes choses, rate sa première création. En effet, il superpose les éléments qui la composent et donne à l'ensemble la forme d'une graine ; mais quand celle-ci se met à tournoyer, l'eau, élément vital s'il en est, s'échappe. Il faudra recommencer. Ce dieu n'est donc ni tout-puissant, ni parfait.

En outre, il engendre quatre divinités dont la dernière, nommée Ogo, suscite le désordre. Ces quatre divinités, en effet, doivent être accompagnées – c'est promis – de sœurs jumelles. Or, Amma n'agit qu'avec lenteur. Ogo, lui, est un impatient, un sceptique et sans doute un envieux. Il soupçonne Amma de ne pas vouloir lui donner sa jumelle. Sans attendre, il quitte donc le placenta de son géniteur, en dérobe même un morceau et parcourt la Terre en tous sens pour y semer troubles et perturbations[1].

Ogo n'est pas tout à fait seul en son genre. Dans bien des religions anciennes, les esprits du Mal avaient été les auxiliaires ou les serviteurs des créateurs avant de vouloir – souvent par jalousie – mettre leur œuvre en péril[2].

Il n'existe pas, pourtant, de règle universelle. Les esprits et les dieux changent parfois de camp. Ou encore, êtres ambigus, ils se situent à la fois du côté du Bien et du côté du Mal.

C'est le cas de l'Égyptien Seth, un brutal, quadrupède au long museau et à la queue fourchue. Il protège le grand dieu Rê (aussi connu sous le nom de Râ) représenté par le Soleil qui, chaque jour, éternellement, parcourt le ciel à bord d'une barque avant de plonger, la nuit, dans le domaine des morts. Or, Rê est menacé par un serpent (ce qui n'est pas très original : dans la quasi-totalité des mythes de création, le serpent représente les forces du chaos). Celui-ci, énorme, a pour nom Apopis. Et cet obstiné ne s'avoue jamais vaincu. Il repart toujours au combat. Contre Seth le brutal qui défend le dieu Rê. Seth est donc du bon côté… Jusqu'au jour où il se transforme en dieu du Mal et du désert.

Beaucoup moins connu est le dieu Sido, ou Souw, qui fut vénéré en Océanie et dont les aventures sont représentées lors d'un culte secret réservé aux initiés (seulement des hommes). Selon certains peuples, il donna à l'humanité des réserves de poissons ainsi que les premières récoltes de légumes. Ailleurs, on dit qu'il traça des cols à travers les montagnes ou encore créa des lacs. Voilà pour le côté positif. Mais Souw, doté d'un énorme phallus, était animé de désirs qui ne l'étaient pas moins. Il en résulta des conflits avec les femmes. Alors, il maudit l'humanité et créa la mort, la guerre, la sorcellerie. Son pénis, doué semble-t-il d'une vie autonome, prenait parfois la forme d'un serpent...

Les Grecs, eux, imaginèrent des conflits divins, comme celui qui opposa Zeus à Prométhée, protecteur des humains. Celui-ci avait dérobé, pour les aider, une part du feu céleste et s'était permis en outre de spolier de la meilleure part des sacrifices le tout-puissant souverain de l'Olympe. C'en était trop. Pour se venger, Zeus offrit pour épouse au frère de Prométhée la première femme, Pandora. Or, il la munit d'une boîte scellée dans laquelle chaque dieu avait déposé un principe nuisible. Il lui recommanda de ne jamais l'ouvrir. Mais il savait à qui il avait affaire : à une femme, donc à un esprit jugé léger, futile, curieux, comme nous le verrons dans bien des chapitres de ce livre, à commencer par celui-ci. Bien sûr, Pandora ouvrit la boîte dès qu'elle le put. Mille maux, maladies, séismes, crimes et catastrophes diverses s'en échappèrent très vite pour affliger l'humanité. L'espoir, lui, resta dans la boîte.

Pandora appartenait à une longue lignée.

Des créatures féminines monstrueuses peuplent en effet la mythologie grecque. Les Sirènes sont bien connues, qui attiraient les marins par leurs chants ensorceleurs pour les entraîner dans la mort ; si bien qu'Ulysse, afin de leur résister, se fit attacher au mât de son navire et boucha avec de la cire d'abeille les oreilles de ses rameurs. Les Gorgones également, trois femmes à la chevelure entrelacée de serpents, dont le regard pétrifiait les hommes. Les Grées, rarement citées, sœurs aînées des précédentes, n'avaient à elles trois qu'un seul œil et qu'une seule dent : assez cependant pour que l'une d'elles, Médusa, pût faire mourir les ennemis de Persée et d'Athéna. Quant à l'Hydre de Lerne, serpent d'eau à neuf têtes, dont chacune se dédoublait quand on la coupait, il fallut qu'Hercule reçût de l'aide pour en venir à bout : c'était l'un des douze travaux qui lui avaient été imposés.

Les Amazones, guerrières orientales, cavalières émérites, qui pillaient et tuaient avec leurs arcs, prenaient les hommes en esclavage, rentraient chez elles tous les ans pour procréer et abandonnaient à la naissance les enfants mâles, ne gardant que les fillettes pour leur succéder.

La représentation du Mal par des puissances féminines n'était pas une exclusivité grecque. Les Amazones, justement, étaient aussi connues dans le monde slave sous le nom de *Polenitsa*. Elles étaient dépassées dans les contes populaires antiques par Baba Yaga, horrible créature au long nez, dotée d'un balai et gardant la porte de l'Autre Monde. L'Europe de l'Est, cependant, connaissait aussi de mauvais esprits masculins : les loups-garous et les vampires notamment.

En revanche, chez les Inuits, au pôle Nord, c'est encore une femme (vieille comme une sorcière et utilisant des formules magiques) qui fit apparaître la guerre et la mort. Ce fut, il est vrai, dans une bonne intention : les humains, en effet, s'étaient multipliés au point que la Terre menaçait de basculer sous leur poids, les précipitant bientôt dans la mer. La guerre et la mort étant créées grâce à la vieille, la Terre put retrouver l'équilibre.

C'est aussi une femme, jeune cette fois, qui est à l'origine de la mort pour les Maoris de Polynésie. Tane, dieu des arbres, avait façonné la première femme avec du sable afin de l'épouser. Ils eurent une fille, « la jeune fille de l'aube », avec laquelle Tane s'unit également sans lui dire qu'il était son père. Elle l'apprit. S'enfuit alors, bouleversée, dans les mondes souterrains. Et décida de s'installer à demeure dans cette nuit pour « attirer tous les humains, enfants de son père incestueux ». L'inceste, dans nombre de ces légendes, est d'ailleurs associé au pire des malheurs.

À Bali, c'est encore un féroce démon femelle, Rangda, commandant une troupe de diablesses aux pieds et aux mains griffus, qui s'opposa à l'esprit-roi, adversaire du Mal, lui, Barong.

Cette liste de mauvais esprits féminins pourrait être longtemps poursuivie... Ce trait, commun à des peuples aussi divers, se retrouvera en Europe au IIe millénaire quand la chasse aux sorciers sera surtout une chasse aux sorcières. Cependant, il faut noter que le rôle féminin était parfois plus complexe. C'était le cas, on l'a vu, pour la vieille sorcière des Inuits : si elle n'avait pas créé la mort, la Terre se serait abîmée une fois pour toutes dans la mer. De même, la fille du dieu des arbres de Polynésie était d'abord victime de son père incestueux.

Les mythes et les croyances de bien des peuples mettent ainsi en scène des êtres versatiles ou à deux faces.

L'attitude des Babyloniens et des Assyriens est, à cet égard, d'autant plus significative que la région du « pays entre les fleuves », la Mésopotamie, est empreinte d'un pessimisme foncier. Ses habitants croient donc en une infinité de puissances méchantes qu'ils cherchent à apaiser par des sacrifices ou, au contraire, à contraindre par la magie. Sans grand espoir. Car les démons finissent dans tous les cas par saisir leurs victimes, les paralysent, et les anéantissent. Pourtant – et voilà l'intéressant –, ces démons ne sont pas vraiment mauvais à l'origine. D'ailleurs, ils sont parfois décrits de manière très poétique.

Le grand dieu hindou Siva n'est pas moins ambigu.

Bien sûr, l'hindouisme honore notamment Visnu, dieu bienveillant, protecteur de l'univers, qui descend sur terre en changeant d'apparence (mouvement appelé « avatara ») afin de rétablir l'ordre. Mais le cas de Siva, synthèse comme Visnu de plusieurs divinités, est bien plus troublant. Son nom signifie « propice » ; or, il est aussi appelé « le ravisseur » ou « l'effroyable ». Assistée de revenants et de vampires, cette puissance des ténèbres fréquente les lieux de crémation sous une forme terrifiante, le cou ceint d'un collier de crânes, les yeux d'un rouge ardent entourés de serpents. Dieu de la vie, maître du grand ballet cosmique, Siva détruit et crée le monde à la fois. Et, comme Visnu, il a combattu et exterminé des cohortes de démons[3].

Il arrive que la répartition des tâches soit plus claire.

Bien des religions anciennes mettent ainsi en scène deux jumeaux. L'un est bon, l'autre non. Les Tuscaroras, une tribu iroquoise d'Amérique du Nord, ont gardé longtemps le souvenir des deux enfants d'une habitante d'un monde supérieur qui était tombée sur la Terre, alors sombre désert. L'un des jumeaux, le mauvais, sortit en force du corps de sa mère, ce qui entraîna la mort de celle-ci. Le bon, lui, fit fleurir la Terre, la peupla d'animaux. Le mauvais essaya de l'imiter, sans autre résultat d'abord que de créer des serpents (encore...) condamnés à vivoter sur un sol aride et stérile. En revanche, il parvint à former les corps des hommes, mais c'est son frère qui leur donna un esprit. Le mauvais en vint à affronter le bon en combat singulier dans l'espoir de dominer le monde. Mais il échoua. Il est resté l'esprit du Mal, régnant sur les morts.

Pour les Tibétains, avant le bouddhisme, deux lumières avaient surgi du chaos : « Misère noire », plutôt sombre bien sûr, et « Radieuse », lumineuse évidemment. À leur suite se dressa un arc-en-ciel dont les couleurs fusionnèrent pour former un œuf gigantesque. Alors, Misère noire intervint pour créer l'obscurité et emplir l'œuf de Pestilence, Épidémie, Malheur, Sécheresse et Douleur, suivis de toutes sortes de démons. Mais Radieuse ne restait pas inactive. Elle suscita Vitalité, Joie, Bien-Être, Prospérité, Longévité, accompagnés de divinités bénéfiques[4].

L'intéressant est évidemment que de telles histoires, distinguant un principe du Mal et un principe du Bien, aient fleuri dans des civilisations qui n'avaient entre elles aucune communication.

Thomas Hyde, un très érudit orientaliste anglais du XVIIe siècle qui s'interrogeait sur ce phénomène, utilisa le mot « dualité » pour désigner les situations où un être mauvais est considéré comme éternel, coéternel au dieu créateur et bon.

Thomas Hyde connaissait évidemment l'histoire et la pensée de Zarathoustra, prophète iranien dont la naissance – des siècles avant notre ère – avait, dit la légende, fait fuir les démons sous la Terre. Surtout, Zarathoustra, adorateur du Seigneur Sage, créateur et maître du monde, contait lui aussi une histoire de jumeaux : l'un, l'Esprit saint, avait choisi le Bien en toutes choses, tandis que l'autre, l'Esprit destructeur, avait évidemment opté pour le Mal. Les hommes devaient le combattre et en seraient récompensés dans le Ciel. Ceux qui le suivraient, en revanche, seraient condamnés à une vie de ténèbres.

Car il existe après la mort un autre monde. Pas forcément terrible : souvent les trépassés, ombres sans consistance, y poursuivent une sorte de vie atténuée.

Il arrive pourtant, dans ce triste séjour, que les morts « normaux » soient tourmentés par d'autres auxquels les vivants n'avaient accordé ni sépulture ni soins, ou encore par des personnes déjà malheureuses sur terre (accidentés, victimes de guerre, noyés par exemple), aigries et frustrées.

Chez les Scandinaves et les Celtes, et dans toutes les civilisations qui privilégient la solidarité du groupe, celui-ci continue d'exister, chacun vaquant à ses occupations, dans un lieu souvent sinistre ; cependant, ceux qui ont été inutiles à la collectivité ou qui n'ont pas subi de leur vivant les rites d'initiation sont parfois exclus de celle-ci. Chez les Betsimisarakas de Madagascar, celui qui plantait du riz continue de planter du riz ; celui qui bâtissait continue de bâtir. S'il lui manque un outil, il le demande en songe à ses descendants qui déposent l'instrument près de son tombeau. Le plus souvent, donc, tous les morts ne sont pas des condamnés, ils deviennent plutôt des résidus d'hommes. Les Sumériens et les Babyloniens, par exemple, ne supposaient pas qu'une divinité quelconque puisse juger la vie morale d'un défunt et la sanctionner par une peine ou une récompense.

Au contraire, le poète grec Pindare, au Ve siècle avant notre ère, imaginait que « sous terre un juge prononce contre les crimes commis en ce royaume de Zeus des arrêts inexorables ». Inexorables mais d'une durée limitée : environ huit années de purification dans une sorte de purgatoire. D'autres, auparavant, s'étaient montrés plus sceptiques. Ainsi Platon prêtait-il cette phrase à Socrate : « Qui d'entre nous s'en va vers le destin le meilleur ? Personne ne le sait, sauf le dieu[5]. »

Pourtant, il envoya lui-même aux enfers les assassins, les pilleurs de temples, ceux qui avaient été trop soumis à leurs désirs corporels ou (dans La République) ceux qui avaient causé la mort d'un grand nombre d'hommes, les traîtres, et ceux « qui avaient jeté leurs concitoyens dans la servitude ».

L'idée de peine éternelle n'était pas très répandue dans les religions les plus anciennes. Chez les Grecs, elle apparaît dans la partie la plus récente de L'Odyssée, qui connaît quelques damnés : les plus connus sont Tityos, foudroyé pour avoir outragé Léto, aimée de Zeus, et dont le foie toujours renaissant est dévoré par des vautours[6] ; Sisyphe, condamné pour des raisons obscures à rouler vers le sommet d'une montagne une lourde pierre qui lui échappe dès qu'il approche du but ; Tantale, enfin, assoiffé et affamé, entouré d'un lac dont l'eau disparaît dès qu'il se penche pour se désaltérer et qui ne peut pas davantage se nourrir de superbes fruits, emportés par le vent quand il veut les saisir.

Chez les Romains, l'idée d'un lieu où l'on subit d'éternels supplices est plus admise, du moins au temps de Virgile. Dans L'Énéide, celui-ci montre la Sibylle, prêtresse inspirée par Apollon, guidant son héros dans les enfers. Elle lui fait notamment suivre un vestibule proche du lieu où les damnés sont soumis à d'horribles supplices qu'elle lui décrit d'une façon plutôt incohérente. « De là, écrit Virgile, vient le bruit de gémissements et le son de cruels coups de fouet : c'est alors le grincement des chaînes de fer traînées ; Énée s'arrêta et demeura terrifié par le fracas. »

Virgile était peut-être inspiré par une tradition lointaine : les Étrusques, qui vivaient non loin de Rome, en Toscane, plusieurs siècles avant J.-C., avaient déjà représenté l'Au-delà – à en juger par l'iconographie de leurs tombes – comme un lieu terrible habité par des démons coiffés de cornes, aux oreilles taillées en pointe et qui portaient, comme il se doit, des serpents dans les mains.

Nous voilà bien près, à des siècles de distance, de l'horrible enfer, lieu de souffrances terribles, que décrira souvent le monde chrétien. Pour Virgile, c'était moins surprenant. Il écrivait au Ier siècle avant notre ère : à ce moment, Satan entra comme une star dans l'histoire des religions.

II

Satan presque ignoré
de la Bible des Hébreux

Les prédécesseurs de Satan étaient donc foule. Ses armées ne furent pas moins nombreuses. Mais elles tardèrent à se manifester sous ce nom. Lui aussi.

Le lecteur de la Bible – la partie que les chrétiens appellent l'Ancien Testament – en trouve pour la première fois mention dans le Livre dit des Chroniques, une œuvre qui date vraisemblablement du IVᵉ siècle avant notre ère. On y voit Satan pousser le roi David à recenser le peuple d'Israël. Ce qui était une faute : seul Yahvé tenait les registres des vivants et des morts ; le supplanter dans ce rôle était d'une extrême impiété. Yahvé, pour punir Israël, fit régner aussitôt la peste : soixante-dix mille hommes en périrent. Il faillit faire pis encore : il envoya un ange vers Jérusalem pour exterminer le peuple tout entier. Heureusement, il s'en repentit à la dernière minute et retint la main de son émissaire (I Ch, XXI, 1-17*).

Or – et voilà l'important –, dans le Deuxième Livre de Samuel, écrit au moins sept siècles plus tôt, c'était Yahvé lui-même dont la colère s'était « enflammée » contre les Israélites indociles, qui avait poussé David à

---

* Dans les notes qui renvoient aux textes des Écritures ou aux textes non bibliques, les abréviations désignent les livres, le premier chiffre renvoie au chapitre, le(s) chiffre(s) suivant(s) au(x) verset(s).

effectuer le recensement. Et David, ayant obéi à Yahvé, considéra qu'il avait péché. Yahvé ne pensait pas autrement : la peste emporta, cette fois aussi, soixante-dix mille Israélites (II S, XXIV, 1-17).

Il s'agit donc de la même histoire. Mais le conseiller, l'inspirateur de la faute n'est pas le même. C'est que, dans l'ancien Israël, Yahvé était la cause première de tout. Or, en six ou sept siècles, entre ce Livre dit « de Samuel » et celui des Chroniques, un nouveau personnage est apparu : Satan. C'est lui qui a poussé David à la faute.

Pourtant, il ne joue pas un très grand rôle dans l'Ancien Testament. Beaucoup moins que dans le Nouveau. Il est inconnu des grands textes bibliques.

Cela peut surprendre puisque le diable, selon une interprétation courante, agit dès le premier livre de la Bible, la Genèse. Comme on le sait, en effet, il est très souvent assimilé au serpent qui poussa Adam et Ève à désobéir. Et de multiples images, aujourd'hui encore, le représentent sous cette forme. Seulement voilà : la Genèse n'est pas le premier livre de la Bible qui ait été écrit. Et, surtout, cette identification du serpent au diable n'apparaît à aucun moment dans le texte de la Genèse qui raconte l'histoire d'Adam et Ève.

De même, il n'est pas plus question du serpent que du diable dans la deuxième grande faute racontée par la Genèse, le meurtre d'Abel par Caïn. Et quand la Bible, ensuite, conte l'histoire du Déluge, le serpent ou le diable ne sont pas davantage évoqués. Le coupable, c'est l'homme : « Yahvé vit que la méchanceté de l'homme était grande sur la Terre et que son cœur ne formait que de mauvais desseins à longueur de journée. Yahvé se repentit d'avoir fait l'homme sur la Terre et il s'affligea dans son cœur » (Gn VI, 5-6).

Alors, le serpent ?

La réponse est simple : il n'est qu'un serpent[1].

La Genèse le présente uniquement comme un animal. Un méchant, certes, « le plus rusé de tous les animaux que Yahvé avait faits » (Gn III, 1). Elle laisse ainsi entendre que la Création n'était pas parfaite à l'origine. Donc, que le Mal existait avant la faute de l'homme, ce que l'on a appelé le péché originel. Autrement dit, le Mal est à la fois dans la Création et dans l'action de l'homme. Un point capital sur lequel il faudra revenir.

Restons-en pour l'instant au serpent.

Après qu'il eut inspiré à l'homme de mauvaises pensées, qu'il lui eut « raconté qu'il était nu », celui-ci est maudit par Yahvé, « plus maudit que n'importe quel animal sauvage » (Gn III, 14). Il ne cesse donc pas d'être un animal pour autant. Au contraire, il demeure pour toujours le symbole de l'animalité. L'animalité la plus basse. Si on l'assimile au pénis, ce qui est le cas chez bien des auteurs, il est le symbole de l'accouplement bestial, de la sexualité sans la moindre tendresse, sans le moindre sentiment amoureux. Il est loin de l'humain.

Mais il n'est pas le diable. Pas Satan.

L'Ancien Testament, d'ailleurs, ne traite jamais le serpent comme Satan. Ainsi, le psaume 140 évoque les médisants, « ceux qui aiguisent leur langue ainsi qu'un serpent, au venin de vipère sous la langue ». Et le Livre des Proverbes, fruit de plusieurs siècles de réflexion des sages hébreux, exhorte à se méfier du vin qui « finit par mordre comme un serpent, à piquer comme une vipère » (Pr XXIII, 32).

Il arrive même que le serpent joue un rôle positif. Dans le Livre de l'Exode, le bâton d'Aaron, frère de Moïse, se transforme en serpent au détriment des magiciens égyptiens. Et, dans la mythologie grecque, le devin Mélampous ayant sauvé deux serpents que ses serviteurs voulaient tuer, ceux-ci lui purifièrent les oreilles. Ils firent ainsi de lui un guérisseur, ce que rappellent les deux serpents enroulés autour du bâton, le caducée du médecin. Mais il est bien plus souvent, dans la plupart des mythologies, une sale bête. Et il l'est dans la Genèse.

Il n'est pas plus. Pas moins.

Mais alors, Satan ?

Dans la Bible des Hébreux, le diable n'apparaît que trois fois sous ce nom. Et il n'est pas vraiment diabolique. L'origine de son nom tient en trois lettres : s, t et n. Réunies, elles signifient en hébreu « celui qui s'oppose, sépare ».

Cette Bible ayant été traduite en grec au IVe siècle avant notre ère, à l'intention des juifs dispersés autour de la Méditerranée qui ne connaissaient plus leur langue d'origine[2], Satan devint *diabolos* (que l'on peut traduire par « celui qui jette un obstacle sur votre chemin » ou, plus rarement, « celui qui calomnie », alors que dans le grec ancien *symbolos* signifie « ce qui unit »). Et *diabolos* devint diable.

Jusque-là, il avait joué un rôle plutôt ambigu. Notamment dans l'un des textes bibliques les plus connus, le Livre de Job.

Job, on le sait, est un homme très saint, très riche, un notable respecté[3]. Yahvé en est très fier : « Job n'a point, dit-il, son pareil sur la Terre. » Mais Satan intervient. À ce moment, il est, semble-t-il, l'un des « fils de Dieu », très supérieurs à l'homme, qui forment la cour de Yahvé et son conseil. Ce titre de « fils de Dieu » sera enlevé aux membres de cette cour, à mesure que s'affirmera la croyance en un Dieu unique. On leur refusera alors le titre d'Élohim. Dans le Livre d'Isaïe, Yahvé affirme : « Je suis Élohim [ou Yahvé suivant les traductions] et il n'y en a pas d'autres » (Es XL, 5). Voilà qui est décisif. Mais il faut souligner ce changement de vocabulaire.

Revenons à Job et à l'intervention de Satan à son propos. Il raconte à Dieu qu'il vient de « se promener » sur la Terre. Et comme Dieu lui demande si, au cours de ses pérégrinations, il a remarqué Job, « ce saint homme », Satan – langue de vipère ! – répond que celui-ci n'a aucun mérite puisqu'il jouit de la protection divine. « Mais, ajoute-t-il, étends la main et touche à ses biens, je te jure qu'il te maudira en face ! » Le voilà donc provocateur. Dieu cependant, assuré de la fidélité de Job, accepte le pari : « Soit ! Dispose de lui, mais respecte pourtant sa vie ! » Après diverses péripéties, et de longs débats, Dieu finit par gagner : Job, à qui les pires malheurs sont arrivés, lui fait toujours confiance. Et il en est récompensé. Mais l'auteur du récit oublie totalement de dire ce qu'il advient du parieur perdant, le diable.

Dans un autre livre de la Bible, moins ancien, celui du prophète Zacharie, « le Satan », comme dit ce texte, se montre plus méchant encore. L'affaire se présente comme une sorte de séance de tribunal (Za III, 1-2). À l'entrée du Ciel se tient « l'ange de Yahvé ». Il s'agit de juger le grand prêtre Josué, représentant, en fait, le peuple juif. Satan l'accuse. Et se fait vertement rabrouer par « l'ange de Yahvé » : « Que Yahvé te réprime, Satan ; que Yahvé te réprime, Lui qui a fait le choix de Jérusalem » (autrement dit qui a élu les Hébreux comme son peuple). Satan ne dit mot. L'auteur, ensuite, semble une fois encore l'avoir oublié.

L'important, dans cette scène comme dans l'histoire de Job, est que ce membre de l'entourage de Dieu est apparu comme un ennemi de l'homme.

III

Les anges révoltés

Il est tentant d'écrire que le diable apparaît en même temps que Jésus. Beaucoup l'ont fait. Non sans raison, comme nous venons de le voir, puisque l'Ancien Testament ne le cite presque jamais : trois fois seulement sous le nom de Satan, presque absent de la Bible des Hébreux.

En revanche, le diable est très souvent cité dans le Nouveau Testament des chrétiens (les Évangiles, les Actes des Apôtres, quelques Épîtres et l'Apocalypse). En effet, on y trouve 34 fois le nom de Satan, 36 fois l'évocation du diable, 55 fois celle des démons et 7 fois le nom de Béelzéboul. On découvre aussi 49 mentions d'esprits mauvais et impurs. Un total impressionnant.

Pourtant, il n'existe pas de relation de cause à effet entre cette multiplication des évocations de Satan et l'événement-Jésus.

Si les premiers compagnons de Jésus, les premières communautés chrétiennes évoquent beaucoup Satan, et si les évangélistes s'en font l'écho, c'est que le diable est devenu très en vogue depuis un ou deux siècles dans le monde juif. Dans les croyances, mais aussi, par exemple, dans la pratique très courante des exorcismes.

Ce monde est alors divisé en de nombreux groupes, agité par de nombreux et parfois virulents débats. Il en est résulté une floraison de textes. Il s'agit d'apocryphes (mot qui signifie, on le sait, « secret » ou « caché ») et aussi des pseudépigraphes, c'est-à-dire de textes signés faussement du nom de personnages célèbres afin d'acquérir plus d'autorité.

Beaucoup se sont perdus. Mais il faut signaler le Livre du prophète Daniel, datant semble-t-il du IIᵉ siècle avant J.-C., qui appartient à la Bible et qui évoque la vision de quatre bêtes, dont l'une, « différente de toutes les autres », incarne vraiment le Mal. Elle est cornue, munie de dents de feu et de griffes de bronze (comme les diablesses de Bali...) – une image qui va inspirer bien des représentations futures.

Cette bête, raconte l'auteur du texte, « faisait la guerre aux saints », mangeait, broyait et détruisait tout, proférait des paroles contre le Très-Haut, jusqu'au jour où « la domination lui fut ôtée » (Dn VII, 13-9).

Le Livre de Daniel évoque aussi, très clairement, la possibilité de la damnation, de l'envoi en enfer. Jusque-là, semble-t-il, la tradition hébraïque avait hésité. Les châtiments intervenaient, selon les textes bibliques, au cours de cette vie. Et c'est tout le peuple qui était châtié. Yahvé le punissait par la déportation, la peste, la famine et d'autres fléaux. Mais, à partir du VIIᵉ siècle avant J.-C., commença à apparaître l'idée d'une peine personnelle, sans que l'on sache très bien si elle intervenait avant ou après la mort. Quatre siècles plus tard se développa l'idée de la damnation. Elle fut enfin clairement exprimée par le Livre de Daniel. Celui-ci explique qu'il a bénéficié d'une apparition. « Une semblance de fils d'homme » lui annonce d'abord les événements du proche avenir, puis ce qui se passera au « temps de la Fin » : alors, « un grand nombre de ceux qui dorment au pays de la poussière s'éveilleront, les uns pour la vie éternelle, les autres pour l'opprobre, pour l'horreur éternelle » (Dn XI, 40-45 ; XII, 1-2).

C'est à peu près à l'époque de Daniel qu'apparaît aussi la secte des Esséniens, célèbre depuis la découverte des manuscrits de Qumrân. Or, les Esséniens sont très préoccupés par l'existence d'un Esprit du Mal et des ténèbres, qu'ils nomment justement « Prince des Ténèbres », ou encore Bélial (un nom venu de Sidon, pays païen aux yeux des juifs), et qui commande des légions d'anges.

La Règle de la communauté, texte qumrânien retrouvé en 1947[1], l'accable (III 21, 221-222) : « C'est à cause de l'Ange des Ténèbres que s'égarent tous les fils de justice ; et tout leur péché, toutes leurs iniquités, toutes leurs fautes, toutes les rébellions de leur œuvre sont l'effet de son empire. »

Deux royaumes existent donc aux yeux des Esséniens : Dieu a laissé le monde présent au Mauvais qui en a été « choisi roi légitime ». Mais ce monde est éphémère. Un autre lui succédera qui est promis au Bon, à l'esprit du Bien.

Ce dualisme, l'opposition des principes du Bien et du Mal, a d'autant plus de succès qu'il était très répandu déjà, nous l'avons vu, au-delà du monde juif. Notamment chez les Grecs dont la culture a imprégné tout le bassin méditerranéen. Cette notion existait chez Platon. Et Socrate aurait écrit : « Comme le mal ne peut avoir son siège chez les dieux, c'est nécessairement dans la nature mortelle et dans le monde d'ici-bas qu'il circule sans cesse[2]. » Les mythologies orientales, véhiculées par des commerçants, des immigrés ou des conquérants, répandaient aussi des visions d'êtres incarnant le Mal. Les lettres de l'apôtre Paul, nous le verrons, furent marquées parfois par ces influences.

Un autre texte, *La Sagesse de Salomon*, qui date du Iᵉʳ siècle, mérite une mention au passage : il est le premier à assimiler clairement le serpent de la Genèse au diable.

Mais voici beaucoup plus important : le Livre d'Henoch[3]. Il commande toute une vision de l'origine du diable, encore enseignée de nos jours, notamment par le *Catéchisme de l'Église catholique*, édité à Rome en

1992 sous la direction du cardinal Ratzinger devenu le pape Benoît XVI.

Henoch est un très ancien patriarche, antédiluvien au sens strict du terme puisqu'il était l'arrière-grand-père de Noé, le grand-père de Mathusalem (Gn V, 22-24). Selon l'Évangile de Luc (III, 37), il fut aussi ancêtre de Jésus. Il n'est évidemment pas l'auteur du texte qui porte son nom et qui est une compilation de traditions anciennes. Un texte que l'on connaissait par une version éthiopienne découverte au XVIIIe siècle et dont on a retrouvé des fragments – en araméen cette fois – dans les grottes de Qumrân.

Ce livre explique l'origine de Satan et des démons : il s'agit d'anges, mais d'anges déchus parce qu'ils ont fauté.

Il faut évidemment s'attarder sur cette histoire, capitale et très répandue.

Commençons par rappeler qui sont les anges. Le terme hébreu *malakim*, traduit en grec par *aggeloï*, puis en latin par *angeli*, signifie « envoyés », « messagers ». Comme le très célèbre Gabriel, ils ont pour mission de transmettre les volontés de Dieu, voire de les exécuter. C'est en raison de cette mission de messagers entre le Ciel et la Terre qu'on les représente avec des ailes, tels de grands oiseaux. Mais pas toujours : ceux que vit en songe Jacob, le petit-fils d'Abraham, descendaient d'une échelle allant du Ciel à la Terre tandis que d'autres la gravissaient (Gn XXVIII, 12). D'ailleurs, au IVe siècle de notre ère, saint Jean Chrysostome (autrement dit « Bouche d'or »), patriarche oriental, crut bon de rappeler à ses ouailles que « les puissances incorporelles ne portent pas de plumes ».

Il existe plusieurs catégories d'anges. Les chérubins et les séraphins sont apparus dans l'Ancien Testament (Gn III, 24 ; I S IV, 4 ; Ez I, 5-12 ; X,10-12). Ce sont les plus proches serviteurs de Dieu[4].

Or, certains de ces anges, à en croire le Livre d'Henoch, trahissent celui-ci.

Ils sont en effet attirés par les femmes, les descendantes d'Ève : « Il arriva que lorsque les humains se furent multipliés, il leur naquit des filles fraîches et jolies. Les anges, fils du Ciel, les regardèrent et les désirèrent. Ils se disaient l'un à l'autre : "Allons choisir des femmes parmi les humains et engendrons-nous des enfants" » (I He, VI, 1-2).

Cependant, leur chef, Shemehaza, qui deviendra Satan, ou Lucifer (« porte lumière »), n'est pas sûr de ses compagnons. Le diable est méfiant, c'est l'un de ses traits constants. « Je crains, dit-il, que vous ne renonciez, et je serai tout seul coupable d'un grand péché. » Ils le rassurent en prêtant serment, jurant de l'accompagner.

Les voilà donc partis. Ils étaient environ deux cents. « Ils prirent pour eux des femmes, une pour chacun d'eux, et ils se mirent à les approcher et à se souiller à leur contact » (I He, VII, 1). Soulignons le verbe *souiller* : le désir est coupable, la femme est corruptrice, le sexe est corrupteur.

Les anges révoltés ne s'arrêtent pas là. Ils enseignent à ces femmes, ancêtres des sorcières, « les drogues, les charmes, la botanique », les herbes. En fait, les pratiques de magie et de sorcellerie étaient connues de longue date par le peuple hébreu. En témoigne un passage du Deutéronome, un des cinq livres de la loi juive, attribué à Moïse, qui recommande de s'en abstenir, de ne pas pratiquer divination ou magie, de ne pas user de « charmes », de ne pas « interroger spectres ou devins » (Dt XVIII, 10-11).

Selon le Livre d'Henoch, les femmes alors choisies par les anges enfantent des géants, « hauts de trois mille coudées ». De vrais méchants ceux-là, qui, non contents de tuer les hommes, les dévorent, ainsi que les animaux et les poissons.

Ce récit, plutôt confus, permet pourtant de penser que certains humains survivent à ce massacre suivi d'un festin. En effet, l'un des proches compagnons de

Shemehaza, nommé Azazel, leur apprend à fabriquer des armes et des cuirasses. Voilà donc le diable des combats et de la guerre. Azazel ne s'arrête pas là. Hostile aux femmes, il enseigne aussi la fabrication des bracelets, des parures, des fards, et ainsi de suite. Ce qui provoque – on l'a deviné – la débauche, l'impiété, l'égarement des hommes. Qui, à leur tour, révèlent à d'autres femmes les secrets de la sorcellerie et de l'astrologie (I He, VII, 1-5). Une chaîne décidément infernale.

Par bonheur, d'autres anges sont restés fidèles à Yahvé. Les plus célèbres se nomment Michel, Raphaël et, bien entendu, Gabriel. Ils assistent à ce spectacle de désolation : la Terre est ravagée par la violence et le vice, le sang est répandu sur toute sa surface. Ils intercèdent donc pour les hommes que Shemehaza et ses complices ont corrompus. Et Yahvé annonce le châtiment de ces révoltés mais aussi le salut des justes.

Un autre texte de cette époque présente une égale importance pour l'histoire du diable. Car il donne une raison différente à la révolte des anges : la jalousie.

Ce texte, intitulé *La Vie latine d'Adam et Ève*, a été tiré au Ier siècle d'une *Vie grecque* qui se faisait l'écho d'une traduction plus ancienne[5].

De qui est donc jaloux l'ange révolté ? Du premier homme, Adam. Ce qui peut nous surprendre, habitués que nous sommes à considérer les anges comme des êtres bien supérieurs aux humains.

Voici le résumé de l'histoire. Cet ange jaloux s'en prend vivement à Adam : « C'est à cause de toi que je fus démis de la splendeur qui était la mienne. » Adam, interloqué bien sûr, répond qu'il ne lui a fait aucun mal puisqu'il ne le connaissait même pas. Le jaloux : « Qu'est-ce que tu racontes ? Tu ne m'as rien fait ? » Et il explique qu'après la création d'Adam – à la ressemblance de Dieu, comme l'écrit la Genèse –, l'ange Michel a emmené l'homme chez ses compagnons emplumés pour leur ordonner d'adorer ce nouveau venu, « image du Seigneur Dieu ». Ce que lui, le jaloux, a refusé : « Je n'adorerai pas celui qui m'est inférieur ; je préexiste en effet à toute autre créature et j'avais été créé avant que celui-là [Adam] ne vienne à l'existence. C'est lui qui m'adorera et non l'inverse ! »

L'affaire, bien entendu, tourne mal.

Le révolté conclut que, si Michel s'obstine, il va, lui, hausser son trône « au-dessus des astres du ciel » afin d'égaler le Très-Haut.

Nous retrouvons donc, sous-jacente, l'idée de la coexistence de deux puissances : celle du Bien et celle du Mal. Mais ici elles ne sont pas à égalité. Yahvé s'irrite et renvoie le révolté sur terre avec ses compagnons. Alors, celui-ci se venge. « J'ai circonvenu ta femme, dit-il à Adam, et par son intermédiaire, j'ai fait en sorte que tu sois chassé de toutes tes délices et de toutes tes joies, ainsi que je l'avais été moi-même le premier » (Vie lat. Ad., 12-17).

Voici, à nouveau, comme dans *La Sagesse de Salomon*, le diable et le serpent confondus. Cette fois encore, c'est seulement au Ier siècle.

Les premiers chrétiens utiliseront beaucoup ces récits. Leurs successeurs aussi. Le thème des anges déchus transformés en démons sera entériné par des conciles, notamment celui du Latran en 1215.

Mais on ne trouve aucune allusion à cette histoire en aucun passage des Évangiles.

IV

Jésus et Satan

Puisque Satan et sa cohorte de démons ont pris une place importante dans les préoccupations des Juifs du Ier siècle, il n'est guère surprenant que les premiers chrétiens aient considéré le combat contre le diable comme l'un des éléments essentiels de la vie de Jésus. Les Évangiles en témoignent.

Celui de Marc – le premier, semble-t-il, à avoir été écrit – raconte dès les premiers paragraphes la tentation de Jésus par le diable. Les Évangiles signés Matthieu et Luc en viennent à cette scène un peu plus loin ; mais c'est seulement parce qu'ils évoquent d'abord les conditions de la naissance de Jésus et son enfance. Le quatrième Évangile enfin, celui qui est signé Jean et qui est beaucoup plus tardif (dans la version que nous connaissons[1]), ignore totalement cette scène. Ce qu'il souligne d'emblée, c'est le sens de l'action de Jésus : « Il était la lumière véritable qui éclaire tout homme venant dans le monde. Il était dans le monde et le monde fut par lui et le monde ne l'a pas reconnu » (Jn I, 9-10). Tout au plus peut-on considérer que cette manière d'évoquer « le monde » comporte une note péjorative, et montre celui-ci comme plus ou moins soumis au pouvoir de Satan. Mais ce dernier ne passionne guère l'auteur de l'Évangile de Jean.

Les trois autres racontent donc que, au début de sa « vie publique », Jésus ayant reçu le baptême, et poussé « par l'Esprit », se retira au désert pour prier.

Le désert est souvent évoqué dans les textes bibliques, d'abord parce qu'il est proche de la Palestine, alors fertile et bien cultivée. Surtout, il joue au moins trois rôles, bien différents : terre non bénie de Dieu où errent les mauvais esprits (Is XIV, 17 ; Mt XII, 43) ; refuge (pour David ou le prophète Élie) ; lieu de prière et de méditation enfin.

C'est pour cette dernière raison que Jésus s'y retire. Il y demeure quarante jours, chiffre symbolique[2]. Il jeûne. Au terme de ces quarante jours, alors qu'il souffre de la faim, le diable le tente une première fois : « Si tu es le fils de Dieu, dis que ces pierres deviennent des pains » (Mt IV, 2-4).

Pour mieux comprendre cette proposition, il faut savoir que le jeûne, dans l'Évangile de Matthieu, ne signifie pas seulement la privation de nourriture. Un autre récit de cet évangéliste, en effet, montre Jésus à table chez le percepteur Lévi (aussi appelé Matthieu d'ailleurs) avec des gens de « mauvaise réputation ». Des pharisiens puis des disciples de Jean-Baptiste le lui reprochent. À quoi Jésus répond d'abord en soulignant que Dieu est hostile aux sacrifices (le jeûne, bien sûr, en est un). Il ajoute que « les compagnons de l'époux » ne peuvent être en deuil « tant que l'époux [lui, Jésus] est avec eux » et qu'ils jeûneront quand « l'époux leur sera enlevé » (Mt IX, 9-15). Il existe donc, suivant ce texte, un lien très net entre le deuil et le jeûne, entre l'absence de nourriture et l'absence d'une personne, la séparation.

Le diable suggère donc à Jésus, en quelque sorte, de se tirer d'affaire tout seul, de calmer sa faim sans se soucier des autres. À quoi Jésus répond, on le sait, que l'homme ne vit pas seulement de pain mais de « toute parole qui sort de la bouche de Dieu ». Or, la parole est évidemment un moyen privilégié d'entrer en relation avec l'autre, les autres, l'homme.

En somme, ce que propose Satan à Jésus, dès l'abord, c'est de renoncer à sa mission, à son message, à sa prédication. Pas moins.

La deuxième tentation a pour cadre Jérusalem où le diable a transporté Jésus. Au sommet du Temple, lieu également symbolique s'il en est. Satan demande à Jésus de faire pression sur Dieu en se jetant du haut de l'édifice, lequel domine d'environ cent cinquante mètres la vallée d'une rivière, le Cédron. Alors, dit-il, faisant référence implicite à un texte des Écritures, le psaume 91, Dieu ordonnera à Ses anges de te porter pour éviter que tu ne heurtes « quelque pierre ». Jésus répond en citant le Deutéronome (des commandements attribués à Moïse) : « Tu ne tenteras pas le Seigneur ton Dieu » (Dt VI, 16).

Ce que l'on peut interpréter comme une revendication par Jésus de sa propre divinité. À lire Matthieu, on voit bien que la tentation est double ; elle vise à la fois le Fils et le Père.

Le diable, qui ne se décourage pas si facilement, emmène alors Jésus au sommet d'une très haute montagne d'où l'on aperçoit tous les royaumes de la Terre. Et il promet de lui en donner la souveraineté. Il se comporte donc comme s'il en avait le pouvoir, comme si « le monde » lui appartenait.

Il dit en somme : « Tout sera à toi si tu te prosternes devant moi. » Rude condition puisqu'elle signifie : si tu renonces à être toi. Ce que demandent, ce qu'ordonnent les despotes. Au contraire, dans le premier récit de la Genèse, Yahvé, le sixième jour, offre tout, sans conditions, à l'homme et à la femme : « Emplissez la Terre et soumettez-la » (Gn I, 28).

Il est difficile d'imaginer plus grande opposition entre deux attitudes. Chacun peut comprendre que Jésus, alors, s'emporte et crie : « Retire-toi Satan » (le célèbre *Vade retro Satanas* de la traduction latine). Et il ajoute une nouvelle citation du Deutéronome (VI, 13) : « C'est le Seigneur ton Dieu que tu adoreras. » Autrement dit : il ne faut pas inverser les rôles.

L'abondance des citations bibliques montre bien que ce récit est une sorte de parabole, d'enseignement théologique. D'ailleurs, cette triple tentation n'a eu aucun témoin. Et si Jésus en avait fait ensuite confidence à ses compagnons, les évangélistes auraient mis – comme ils le font d'ordinaire – ces propos dans sa bouche. Rien de tel ici.

Pourquoi content-ils cet affrontement ? Il est, certes, plein d'enseignements. Mais en présentant Jésus, qu'ils considèrent comme le Fils de Dieu, soumis à la tentation par le diable, ils prennent de grands risques : un Dieu tenté par Satan comme s'ils étaient à égalité est inacceptable, scandaleux, impossible à imaginer pour les juifs et bien d'autres. Si Matthieu, Marc et Luc commencent ainsi leurs Évangiles, c'est qu'ils considèrent, certes, la nature humaine de Jésus. Mais c'est aussi parce que, pour eux, celui-ci, durant toute cette période, est vraiment engagé dans un combat contre Satan et ses sous-ordres les démons.

Un combat qui n'est pas d'égal à égal. En témoigne la parabole où Jésus compare le Royaume de Dieu à un homme qui a semé du bon grain dans son champ ; mais, la nuit, son ennemi vient y mêler de l'ivraie, dont les graines sont toxiques (Mt XIII, 24-43). L'important, dans cette parabole, c'est que l'ennemi – le diable de toute évidence – opère en se cachant, la nuit. Il n'affronte pas Dieu en face. Il n'ose pas.

Marc, Matthieu et Luc, par ailleurs, multiplient les récits mettant en scène les démons.

C'est parfois pour souligner la divinité de Jésus : ainsi Matthieu raconte-t-il, dans une scène que nous retrouverons, que deux démoniaques sortant d'un tombeau se mettent à crier en le voyant : « Que nous veux-tu, Fils de Dieu ? » (Mt VIII, 29).

C'est parfois aussi pour guérir les malades que l'on considère comme possédés. Une pratique habituelle à d'autres prêcheurs juifs de ce temps comme le montrent, entre autres, des écrits retrouvés à Qumrân. De tels actes, d'ailleurs, n'étaient pas limités à la Palestine. Dans le monde antique, bien des maladies étaient attribuées à l'action d'un mauvais esprit (aujourd'hui encore, parfois...). L'Évangile de Marc cite le cas d'un enfant considéré comme possédé : « Il écume, grince des dents et devient raide » et devant Jésus, « il se roule à terre » (Mc IX, 18-20). Ce sont des symptômes d'épilepsie, la quasi-totalité des spécialistes en sont d'accord.

Il faut pourtant se garder de minimiser de telles guérisons. Raymond E. Brown, qui fut professeur d'études bibliques à New York et membre de la commission biblique pontificale, souligne : « Quand Jésus guérit, calme la tempête, nourrit les affamés et pardonne les péchés », il manifeste ainsi que le Mal est déjà vaincu[3]. Pourtant, le diable résiste jusqu'au bout : quand Jésus va être arrêté, après le dernier repas pris avec ses compagnons, il constate, dans le jardin de Gethsémani, qu'arrive « le Prince de ce monde » (Jn XIV, 30). C'est-à-dire Satan.

Deux épisodes contés par les évangélistes méritent une analyse approfondie.

L'un met Jésus aux prises avec des scribes (des spécialistes des Écritures, également appelés docteurs de la Loi) venus de Jérusalem pour lui porter contradiction. Ils l'accusent d'expulser les démons « par le prince des démons » (Mc III, 22-30).

Comme l'écrit le philosophe René Girard, « accuser un exorciste rival d'expulser les démons par l'intermédiaire de Satan devait être une accusation banale à l'époque. Beaucoup de gens devaient la répéter machinalement[4] ». Mais Jésus saisit l'occasion. Il répond : « Comment Satan peut-il expulser Satan ? Si un royaume est divisé contre lui-même, ce royaume-là ne peut subsister. Et si une maison est divisée contre elle-même, cette maison-là ne pourra se maintenir. Si donc Satan s'est jeté contre lui-même et s'est divisé, il ne pourra pas tenir, il est fini ! »

À première lecture, cela paraît évident, et la logique de Jésus est imparable. Mais dans son commentaire,

René Girard va plus loin. Il souligne que Satan incarne vraiment le désordre s'il lutte contre lui-même. Et il constate que, s'il en est capable, c'est que son pouvoir est important : le désordre expulsant le désordre, voilà qui constitue une « prouesse peu banale ». Très vicieuse en outre : il s'agit de reconstruire, de rétablir une situation apparemment normale, pour mieux la détruire de nouveau. Ainsi, écrit René Girard, Satan peut remettre assez d'ordre dans le monde afin de se livrer à « son passe-temps favori qui est de semer le désordre, la violence et le malheur ».

Tel est le premier enseignement que l'on peut tirer de ce passage d'Évangile plutôt énigmatique.

Jésus ne se borne pas au constat de la puissance de Satan. À cet endroit de l'Évangile de Marc, il ajoute une sorte de parabole. « Nul, dit-il, ne peut pénétrer dans la maison d'un homme fort et piller ses affaires s'il n'a pas d'abord ligoté cet homme fort ; alors, il pillera sa maison. » Un propos assez énigmatique, lui aussi. Que l'on peut traduire en ces termes : l'homme fort est Satan, maître de ses « affaires », prince de ce monde. Il faut le ligoter, le paralyser, le mettre hors d'état de nuire. Ce que lui, Jésus, peut faire. Il le dit dans le langage de ses auditeurs, au risque de nous surprendre. Mais les termes qu'il utilise, la situation qu'il choisit de décrire, montrent bien que l'évangéliste évoque un conflit total avec le diable, sans compromis ni accommodement[5].

Un combat qu'il ne livre pas avec les mêmes armes. Un autre épisode le met en lumière.

C'est l'histoire des démons de Gerasa. Elle suit, dans l'Évangile de Marc (V, 1-20), celle de la tempête apaisée.

Jésus a traversé le lac pour arriver au « pays des Geraséniens ». Cette région est rattachée à la province romaine de Syrie. Aux yeux des juifs, les Geraséniens sont des païens.

Dès que Jésus a mis pied à terre, un possédé s'approche. Un violent. Un furieux qui vit dans les tombeaux. Autrement dit, c'est un mort-vivant. D'ailleurs, il se taillade avec des pierres. Comme s'il voulait se lapider lui-même. Les habitants du pays veulent l'en empêcher, l'enchaînent. Mais il brise toujours les chaînes. « Personne ne parvenait à le dompter. » Dompter : il est donc comme une bête sauvage.

Mort-vivant… bête sauvage. Quasiment exclu de l'humanité, donc. Par qui ?

Jésus commande d'abord à « l'esprit impur » de sortir de « cet homme ». Il lui rend sa qualité humaine. Il lui demande aussi de se nommer. Réponse : « Légion est mon nom, car nous sommes beaucoup[6]. »

Les démons sont donc nombreux et un à la fois : Marc utilise dans la même phrase le singulier et le pluriel. Il écrit, à propos de Légion : « Et il le suppliait instamment de ne pas les expulser hors du pays. »

Cet « il » multiple ne se fait pas d'illusions. Il sait bien que Jésus est en train de l'emporter. Mais Jésus ne veut pas entrer en négociation avec Légion. Il lui permet seulement d'être transféré dans un troupeau de porcs (nous sommes chez les païens), lesquels, qui sont deux mille, pas moins, se précipitent aussitôt dans la mer, très souvent considérée à l'époque comme la résidence des forces maléfiques.

L'histoire n'est pas terminée pour autant. Elle se complique d'un épisode surprenant : la foule prend peur alors qu'elle devrait se réjouir de la guérison du possédé. Mais, tout bien considéré, cela signifie que le Mal habite plus aisément une foule. Une foule, agitée de mouvements divers, versatile et fusionnelle, est, pour Satan, une proie plus facile.

Comme l'écrira Sigmund Freud : « Les foules n'ont jamais connu la soif de la vérité. Elles réclament des illusions auxquelles elles ne peuvent pas renoncer[7]. » Et cette foule-là, apparemment, se trompe tout à fait sur la nature et les sentiments de Jésus. Elle croit qu'il est un violent comme Légion. Un violent plus fort, plus puissant certes. Mais un violent. D'où sa peur. Elle s'accommodait presque de Légion. Elle avait pris avec lui ses habitudes. Elle ne souhaite pas changer. Se soumettre à un nouveau pouvoir serait peut-être pis encore.

C'est pourquoi l'histoire ne se termine pas là. Le possédé, en effet, désormais libre, demande à Jésus de l'emmener avec lui. Et se heurte à un refus : « Va chez toi et rapporte-leur tout ce que le Seigneur a fait pour toi dans Sa miséricorde. » Un propos qui peut paraître étrange puisque la foule vient d'assister à la guérison. Mais il s'agit de lui expliquer qu'elle n'a rien compris : Jésus n'est pas un Satan plus fort que Satan. Car sa puissance est employée pour aider et sauver. Pas pour semer le désordre et inspirer le Mal. Il n'y a ni égalité ni équivalence. Les volontés sont radicalement opposées. Les moyens aussi, car Dieu n'est pas violent. Mais c'est Lui qui l'emporte.

Tel est le message central des Évangiles sur Satan. La dualité puissance du Bien-puissance du Mal est récusée. Le diable n'est qu'un intrus.

V

Quand apparaît l'Antéchrist

L'Évangile ne dit pas si l'ex-possédé, renvoyé à Gerasa, a réussi à convaincre les siens de la radicale différence entre Jésus et Satan. Mais il est évident que les premiers chrétiens eux-mêmes ne la comprirent pas entièrement aussitôt. Les plus fameux ont parfois semblé hésiter, ou ne pas la mesurer précisément.

Ainsi l'apôtre Paul. Les lettres qu'il adresse à plusieurs communautés chrétiennes sont d'autant plus significatives qu'elles ont été écrites avant les Évangiles canoniques.

Paul contribue, certes, à distinguer Satan des autres esprits mauvais. Dans les Épîtres reconnues comme émanant de lui, le mot diable n'apparaît jamais. Satan, en revanche, est cité sept fois. Mais voici l'important pour notre sujet : Paul, écrivant aux Corinthiens en 56 ou 57, évoque « le Dieu de ce monde[1] » qui aveugle l'entendement des incrédules (II Co IV, 4). Soulignons le mot « Dieu ». Il est vrai qu'en donnant ce titre à Satan, Paul ne le reconnaît certainement pas comme un Dieu égal à Yahvé. Mais il lui donne un rang tout à fait éminent. L'influence de la vision dualiste – une puissance du Mal s'opposant à la puissance du Bien – est encore sensible.

Cela peut aisément se comprendre. La nouveauté du message de Jésus est telle qu'il ne peut être aussitôt assimilé dans toutes ses conséquences. D'autant que les premiers chrétiens n'entendaient pas rompre avec le judaïsme. Ils considéraient que leur foi se situait dans la continuité de l'ancienne, l'accomplissait. Ils n'ont pas cessé, aussi longtemps qu'ils l'ont pu, de fréquenter le Temple et les synagogues. Justin, philosophe converti au christianisme au début du IIe siècle, souligne qu'ils « veulent observer présentement des observances que Moïse a instituées[2] ».

Paul est en un certain sens l'homme de la rupture puisqu'il convertit et fait entrer des non-juifs dans la primitive Église. Il n'empêche : il n'a pas accompli aussitôt ce que l'on appellerait aujourd'hui une totale révolution culturelle. Il n'est pas ignorant des débats qui agitent alors les juifs sur l'existence et l'origine du Mal. Mais il ne s'écarte pas radicalement du « dualisme » qui présente dans toute cette partie du monde l'opposition d'une puissance du Mal et d'une puissance du Bien, égales ou presque. D'où l'utilisation du mot « Dieu » pour Satan, atténuée, il faut le souligner, par la mention « de ce monde ».

Satan est bien loin, alors, d'avoir acquis tous ses traits. Son image est encore floue. Ainsi, le même Paul, écrivant aux habitants d'Éphèse, évoque un « Prince de l'air » (Ep II, 2) – l'air étant, cette fois, plus que la mer, le domaine du mauvais esprit – entouré d'auxiliaires « régisseurs de ce monde de ténèbres » (Ep VI, 12). Dans l'Épître aux Romains (VIII, 38), il donnera à ces « régisseurs » d'autres noms : les Principautés et les Puissances.

Signe de la confusion qui règne encore à ce sujet : l'Épître dite de Jude[3], datant de la fin du siècle, ne présente plus ces esprits du Mal comme des « habitants des espaces célestes » (Ep VI, 12) régisseurs de ce monde, mais, à la différence de ce qualificatif de Paul, comme des prisonniers. Pour les punir, Dieu les a enfermés, « gardés dans des liens éternels, au fond des ténèbres » (Ju, 6).

L'auteur de ce texte reprend ainsi le thème d'un Deuxième Livre d'Henoch (voir p. 27-28), intitulé Livre des secrets d'Henoch[4]. Ce livre mérite d'être analysé dans cette histoire de Satan, car il a beaucoup inspiré la vision du monde diabolique. En outre, il ne manque pas de pittoresque. Il est antérieur à 70, l'année de la destruction du Temple de Jérusalem (puisqu'il l'ignore), et ne paraît pas être d'origine chrétienne.

L'auteur y raconte que deux messagers de Dieu l'élèvent… jusqu'au septième ciel.

L'expression est promise, on le sait, à un grand avenir. Mais ici, c'est le parcours qui a beaucoup d'intérêt.

Au premier ciel, le patriarche Henoch, arrière-grand-père de Noé, croise des anges fidèles qui règnent, sans problèmes, sur l'espace.

Le deuxième est la prison des « anges condamnés », parce qu'ils ont désobéi. Ils pleurent.

Le troisième est à la fois, bizarrement, le siège du paradis – « d'une beauté qu'on ne peut pas savoir » – et celui de l'enfer. Lequel, « très terrible », est traversé par un fleuve de feu. Des « anges cruels et brutaux, portant des armes » y torturent sans pitié « les impies qui font des sacrilèges sur la Terre ». Une telle vision de l'enfer marque une évolution importante dans la pensée juive sur le sujet.

Le soleil et la lune se partagent le quatrième ciel.

Au cinquième résident les « Veilleurs », des anges également, d'une catégorie supérieure semble-t-il. Seulement voilà : ils sont descendus sur la terre « pour se souiller avec les femmes des hommes », comme Shemehaza et ses compagnons (voir p. 29). Ils pleurent, eux aussi. Mais c'est surtout, curieusement, sur le traitement ignominieux réservé à leurs frères du deuxième ciel.

Au sixième vivent sept grands anges, « très brillants et glorieux », qui « règlent et enseignent le bon ordre du monde ».

Au septième enfin règne le Seigneur, « assis sur Son trône », impérial, entouré d'une cour de chérubins et séraphins et recevant l'hommage de « toutes les milices du ciel ».

Quand Henoch en redescend, il passe à nouveau devant la gueule ouverte de l'enfer, gardée par d'horribles personnages.

La description du monde satanique incluse dans ce livre a laissé – chacun peut le constater – bien des traces dans les images, les chapiteaux des églises et nombre d'esprits. Jusqu'à nos jours.

Un autre texte de la même époque, plus connu, les a marqués autant, voire davantage : l'Apocalypse.

Apocalypse est la transcription du mot grec *Apokalypsis* qui signifie « Révélation ». Mais c'est le contenu de ce texte, écrit par un certain Jean (dont on ne sait à peu près rien[5]), dans les années soixante-dix, qui lui a donné l'actuel sens catastrophique. Certains y ont vu une description de la fin du monde, confiée par Jésus à l'auteur sous forme de symboles codés. Un vrai trésor pour les chercheurs imaginatifs, des « traducteurs » de tous horizons qui tentent d'appliquer ces symboles aux événements historiques et qui ont par exemple identifié « la bête », vedette de la fin du livre (XII, 1-14, 20) à Hitler, Staline, la papauté[6], voire à Saddam Hussein !

Le texte principal est précédé de sept lettres, très brèves, virulentes ou consolantes adressées à sept communautés chrétiennes d'Asie Mineure. Jean, auteur présumé de ce texte, utilise le chiffre sacré sept à tout propos : sept Églises, sept candélabres d'or, sept Esprits de Dieu, sept étoiles, etc. L'intéressant est, d'une part qu'il semble très soucieux de l'action du diable, d'autre part qu'il met au compte de celui-ci les déviations de ses interlocuteurs ou les obstacles qu'ils rencontrent. Le diable appartient bien, désormais, au monde des Esprits auxquels croient les premiers chrétiens. Et comme Paul dans la Deuxième Lettre aux Corinthiens (voir p. 40), comme bien des Pères de l'Église aussi (voir au chapitre suivant), ce Jean considère que c'est lui, Satan, qui inspire ceux qui s'écartent de la vraie foi au Christ. Ainsi appelle-t-il « Synagogue de Satan » (Ap II, 9) – c'est-à-dire Assemblée ou Église de Satan – un groupe mal défini de juifs qui refusent de voir dans la naissante Église l'héritière, le successeur légitime et véritable du christianisme[7].

Dès le Ier siècle, longtemps avant l'Inquisition qui eut pour mission première de pourchasser l'hérésie, naissait donc l'idée que celle-ci était satanique. Il faut cependant tempérer l'importance de cette qualification : en Israël, alors, les groupes religieux étaient nombreux et ne se ménageaient pas quand ils s'opposaient, ne reculant guère devant les accusations ou les expressions les plus violentes.

Venons-en aux principaux chapitres de l'étrange texte appelé Apocalypse.

Le personnage principal en est l'Agneau, dont l'amour sauveur illumine les heures les plus sombres d'une communauté chrétienne alors soumise à de brutales persécutions. Le monde maléfique, lui, est représenté par un dragon et deux Bêtes.

Le dragon présente certains traits du serpent de la Genèse et, par extension, incarne Satan. Une femme revêtue de soleil (en laquelle on a voulu voir Israël, puis Marie ou l'Église), la Mère, met au monde, dans la douleur, le Messie. Le dragon tente de dévorer celui-ci. L'enfant lui échappe en étant enlevé au Ciel. Là s'engage une grande bataille entre saint Michel à la tête des anges et le dragon qui est renvoyé sur terre. Il ne désarme pas pour autant, se lance à la poursuite de la Mère et persécute à tout va, assisté par les deux Bêtes, celle de la Mer et celle de la Terre.

Ces deux Bêtes ont excité bien des imaginations.

La première surtout, porteuse de dix cornes et sept têtes (lesquelles correspondent, semble-t-il, aux sept collines de Rome, qui persécute alors les chrétiens). À cette Bête, le dragon (Satan) donne toute puissance pour obliger le monde à se prosterner devant lui.

La seconde est plus trompeuse. Il s'agit d'un faux prophète. C'est en vérité du culte de l'empereur romain qu'il s'agit. Le chiffre de cette Bête, indique l'auteur, est 666. Voilà de quoi donner lieu à bien des supputations. La plus communément admise se fonde sur la valeur numérique alors attribuée à chaque lettre en grec comme en hébreu : le chiffre d'un nom est le total de ses lettres – 666 signifierait ainsi, en hébreu, César-Néron, et en grec, César-Dieu[8].

Donc, les Bêtes persécutent, trompent aussi, les humains. Mais voilà que l'Agneau apparaît sur le mont Sion. Un ange qui l'accompagne se montre menaçant : quiconque adore la Bête et son image subira, dit-il, « le supplice du feu et du soufre ». Un autre ange proclame la chute de « la grande prostituée » : Rome. Et l'Agneau triomphe. Les deux Bêtes sont jetées dans un lac de feu, symbole de la damnation éternelle.

Le sort du dragon-Satan mérite plus d'attention. Car il n'est (si l'on peut dire) enfermé que pour mille ans. Après quoi, libéré de sa prison, il revient séduire « les nations des quatre coins de la terre, Gog et Magog[9] ». Celles-ci se rassemblent pour envahir et détruire une nouvelle Terre promise.

Dernier (ou presque) renversement de situation dans cette histoire à épisodes : Satan est précipité à son tour dans le lac de feu. Alors, des Cieux nouveaux et une nouvelle Terre – termes que reprendra la liturgie chrétienne – remplaceront le premier Ciel et la première Terre qui avaient été dévastés. Enfin, une Jérusalem nouvelle, céleste, est décrite avec lyrisme.

De cette histoire – évidemment très résumée ici – il faut retenir que l'image de Satan, confondue avec le dragon ou le serpent, est bien installée. Mais aussi – ce qui ne sera pas oublié au long des siècles suivants – annonce un retour de celui-ci après mille années de mise à l'écart.

Ajoutons qu'il arrivera à la Bête de prendre un autre nom : l'Antéchrist. Celui-ci a traversé l'Histoire jusqu'à nos jours et semble encore promis à un bel avenir si l'on en juge par ses multiples identifications avec des personnalités ou des groupes de notre temps.

L'Antéchrist apparaît d'abord dans la première Épître dite de Jean, datant de la fin du Ier siècle et dont l'auteur appartenait au même milieu que celui de l'Apocalypse[10]. Cet auteur commence par parler « des » antichrists, visant peut-être des hommes ou des femmes qui ont quitté la communauté chrétienne ou nient la divinité de Jésus (I Jn, II, 18-23). Qui sont donc des hérétiques aux yeux des chrétiens.

Or, et voici l'important, quelques lignes plus loin le même auteur évoque « l' » Antichrist. Et sur quel ton ! « Vous avez entendu dire, écrit-il, qu'il allait venir : eh bien, maintenant, il est déjà dans le monde » (I Jn, IV, 3). De quel côté ? Celui de « l'erreur ». Tandis que l'auteur du texte et ceux qui l'entourent sont du côté de la vérité : « Nous, nous sommes de Dieu » (I Jn, IV, 6).

Voilà donc les camps bien délimités : « Ceux qui ne pensent pas comme nous » sont inspirés par l'Antichrist. Qui est ou sera, selon les écrits ou les siècles, l'agent de Satan, ou son double, ou son incarnation. Dès lors la divergence, l'hérésie, peut être considérée comme diabolique. Une idée déjà effleurée par Paul lorsqu'il évoque les « faux apôtres » dans la Deuxième Lettre aux Corinthiens. Une idée qui fera son chemin. Jusqu'à l'Inquisition. Une douzaine de siècles plus tard.

Dans l'immédiat, l'Antichrist allait devenir l'avant-Christ, donc l'Antéchrist, force diabolique qui précéderait, dans une victoire éphémère, le retour glorieux du Christ à la fin des temps. Mais qui récapitulerait aussi toutes les fautes et idolâtries commises depuis le Déluge. C'est ce que pensait notamment l'évêque de Lyon, Irénée, Père de l'Église, que nous allons maintenant retrouver, en compagnie de quelques autres, aux prises avec ces rudes questions : Qui est Satan ? Que peut-il ? Comment agit-il ? Ils ont eu d'autres préoccupations, certes. Très graves aussi. Mais celles-là les ont beaucoup retenus. Puisqu'il s'agit du Mal.

VI

Quand Satan enflamme
l'imagination des Pères de l'Église

Ils venaient de tous les bords de la Méditerranée. Ils s'appelaient Justin, Origène, Tatien, Tertullien, Anselme, Augustin. Certains seraient qualifiés de « Pères de l'Église » ou de « docteurs de la Foi ». Quelques-uns seraient aussi condamnés. Mais tous, dans les premiers siècles, se passionnèrent pour Satan et contribuèrent à dresser son portrait, à expliquer ses origines, à mettre en garde contre ses procédés.

Justin donna le ton, sonna le premier l'alarme, et son influence fut considérable.

Il était né en Samarie vers la fin du Iᵉʳ siècle. Aux yeux des Juifs, ses parents étaient donc des païens. Il le fut aussi. Curieux de tout, il étudia les philosophes grecs, qui le déçurent. À l'exception de Platon, qui l'enthousiasma. « Il donna des ailes à mon esprit, écrit-il, je crus que j'allais bientôt connaître Dieu[1]. » Mais c'est à Rome qu'il reçut le choc initial. Au cours d'un combat de gladiateurs auquel l'avaient convié des amis.

Il y avait là des combattants professionnels qui risquaient leur vie avec panache. Mais aussi un groupe disparate, plutôt misérable mais courageux, âges et sexes mêlés : des chrétiens promis au martyre.

Contrairement au judaïsme, dont le culte était toléré, le christianisme était alors à Rome une *religio illicita*, non autorisée. Les premiers chrétiens souffraient des calomnies les plus graves et les plus invraisemblables. La célébration de l'eucharistie, où le prêtre (presque toujours l'évêque à cette époque) énonce « Ceci est mon corps, ceci est mon sang » est alors présentée comme un rite de cannibales. On assure en effet que les chrétiens immolent un enfant vivant. Et puisqu'ils s'appellent « frères » et « sœurs », et se donnent le baiser de paix, ils sont incestueux ; leurs réunions nocturnes, dit-on, dégénèrent en orgies. Tacite, grand historien pourtant, les décrit comme une « classe d'hommes détestés pour leurs abominations[2] ».

Bientôt, on les rendra responsables de la colère des dieux de l'empire. Une colère manifestée par une série de cataclysmes : au milieu du IIe siècle, les légions romaines ramènent d'Orient les plus graves épidémies ; en 167, la peste se déclare à Rome ; les Germains franchissent le Danube, pénètrent en Italie et en Grèce ; et voici que le Tibre quitte son lit pour envahir la ville ; l'empereur et les prêtres courent vers les temples et sacrifient des troupeaux entiers. Bien entendu, on cherche des responsables. Et en vérité, on ne cherche pas longtemps : la population se rue sur les chrétiens.

Or, ces chrétiens avaient le sentiment d'être engagés dans un formidable combat qui les dépassait, où ils ne pourraient être que des auxiliaires, des alliés de seconde zone : la lutte contre les forces du Mal, la bataille de Dieu contre Satan. Ils marchaient donc à la mort avec courage et calme. Une telle attitude aurait été très appréciée par Platon, le maître à penser de Justin. Celui-ci les admira donc. Un peu plus tard, il rencontra au bord de la mer, explique-t-il dans le *Dialogue avec Tryphon*, livre capital des premiers temps du christianisme, un vieillard chrétien avec qui il engagea un long débat : « Un feu subitement s'enflamma dans mon âme, dit-il [...]. Je repassai ces paroles, je reconnus que c'était la seule philosophie sûre et profitable[3]. » Il se fit baptiser.

Or, sa vision du christianisme était largement tributaire du combat contre Satan. Celui-ci, pensait-il, exerçait depuis Adam une véritable tyrannie sur l'humanité[4]. C'était un « éternel adversaire ». Les dieux grecs, que Justin avait vénérés depuis l'enfance, n'étaient hélas que les alliés du diable. Le Christ, en qui s'incarnait la seule vérité, était venu surtout pour en libérer les hommes. D'ailleurs, les mages eux-mêmes (que les siècles suivants appelleraient Melchior, Balthazar et Gaspard) avaient été – avant leur venue à Bethléem – entraînés à toutes sortes d'actions auxquelles les avaient poussés de « mauvais démons ».

Des suppôts de Satan en quelque sorte. Qui ensuite, heureusement, « crurent, adorèrent le Christ et apparurent dégagés de cette puissance qui les avait conquis[5] ». Autrement dit, dès sa naissance, Jésus avait libéré les hommes des démons. Mais cette libération serait effectuée surtout par la Croix : « Une secrète puissance de Dieu appartient au Christ crucifié qui fait frémir les démons. »

Il n'empêche : Justin voyait encore ceux-ci un peu partout : « Il y a dans tout le monde et notre ville nombre de démoniaques[6] », écrivait-il. Il dénonça donc leur action perverse dans des lettres enflammées aux empereurs et au sénat de Rome. Qui finirent par s'énerver. Justin et ses disciples, condamnés par le préfet Rusticus, furent flagellés avant d'avoir la tête tranchée. Ils marchèrent vers la mort comme vers une victoire sur les démons : ceux-ci, pensaient-ils en effet, utilisaient la crainte de la douleur et de la mort comme une arme efficace.

Restait à savoir comment des démons avaient pu exister, comment le Créateur avait pu créer ou laisser vivre ces puissances mauvaises.

Justin a largement repris et diffusé le thème des anges déchus, qui « ont cherché commerce des femmes et engendré des enfants que nous appelons démons », lesquels « ont semé parmi les hommes le meurtre, la guerre, l'adultère, l'intempérance et tous les maux[7] ».

Voilà donc établi à nouveau le lien, qui aura la vie dure, entre le diable et le sexe. Celui-ci allait être repris, notamment, sans nuances par un fougueux Carthaginois converti, Tertullien. Il est vrai que l'homme avait beaucoup usé de la liberté sexuelle dans sa jeunesse.

Pour lui, « la femme est tentation, la tentation est femme ». Le mariage ne trouve même pas grâce : « Mariage et fornication ne sont différents que parce que les lois semblent les différencier : mais ils ne sont pas intrinsèquement différents, si ce n'est dans leur degré d'illégitimité[8]. » Il écrit d'ailleurs aux femmes : « Savez-vous que vous êtes la porte d'entrée ouverte au diable ? »

Emporté par cet élan, Tertullien raconte à sa manière l'histoire de Job, dans laquelle Satan, on l'a vu (voir p. 23-24) n'est pas tout à fait diabolique. Il le noircit davantage. Et lui trouve une alliée : l'épouse du malheureux Job, « comme s'il [Satan] pouvait tromper tous les hommes par la femme, comme il l'a fait à l'origine ».

Tertullien ne s'arrête pas là.

D'abord, il lance une expression appelée à un succès prolongé jusqu'à nos jours, ou presque : durant des siècles, les baptisés, ou les enfants qui renouvelaient les vœux du baptême, ont dû proclamer qu'ils renonçaient « à Satan », « à ses pompes et à ses œuvres ». Et beaucoup – y compris l'auteur de ces lignes – se sont demandé de quelles pompes il s'agissait.

Eh bien, ce sont les idoles, les autres dieux, et tout ce qui s'y rattache : spectacles et sexualité au premier rang, bien sûr. Car Satan a deux alliés privilégiés, Bacchus et Vénus, étroitement « associés à l'ivrognerie et à la débauche » ; ils inspirent notamment les spectacles, suscitent des passions violentes comme la cruauté et la sensualité. « Si tout y est restitué par le diable, la voilà la pompe du diable[9]. »

Cet enflammé, emporté par son combat personnel contre Satan, voit comme Justin celui-ci à l'œuvre un peu partout. D'abord chez les empereurs : « Une même âme ne peut se donner à la fois à Dieu et à César. » Donc, un chrétien ne peut, par exemple, entrer dans l'armée.

Surtout, si quelqu'un ne partage pas les idées dominantes dans la communauté chrétienne, c'est que le diable l'inspire. Voilà une idée, déjà suggérée au temps de saint Paul, reprise aussi dans l'Apocalypse, qui poursuit son chemin. Et qui ira loin.

Il se trouve qu'à l'époque de Tertullien les chrétiens sont toujours divisés. Sur l'incarnation notamment : les uns pensent que Jésus n'était pas vraiment homme et en a pris seulement l'apparence. D'autres insistent sur son humanité, méconnaissant sa divinité. Or, écrit Tertullien, les chrétiens devraient tous « parler et penser de même[10] ».

Les hérétiques, cette fois encore, sont diaboliques.

Le mot grec *hairasis* signifie littéralement « choix ». Un hérétique est un homme « qui a choisi » une certaine interprétation des Écritures ou de l'événement Jésus, qui s'est séparé de la majorité. Il ne mérite aux yeux de Tertullien aucune considération. D'autant que certains s'enorgueillissent de leur différence : « Ont-ils conçu quelque trouvaille, ils se hâtent de donner le nom de révélation à leur divagation. » Qu'ils aillent au diable puisqu'ils sont démoniaques.

Tertullien va jusqu'à dire que le chef de la communauté ne doit pas laisser les fidèles poser des questions. Sur l'origine du Mal par exemple. Quelques-uns lui rétorquent en citant les propos de Jésus : « Cherchez et vous trouverez » (Mt VII, 7). Mais il ne se laisse pas démonter pour autant : on a déjà trouvé ; l'Église a les réponses, et toute « prolongation d'enquête » est inutile. À quoi bon débattre ? Cela ne sert qu'à « casser la tête » et à pervertir la vérité sous l'inspiration de Satan. Car c'est celui-ci qui invente de fausses interprétations des Écritures afin de faire tomber bien des chrétiens dans l'erreur.

Tertullien, condamné par les autorités de l'Église pour d'autres raisons, y fera par la suite beaucoup d'adeptes. Non seulement à propos de l'hérésie, comme on vient de le voir, mais aussi en ce qui concerne la sexualité et la suspicion lancée contre les femmes.

Or, il importe de le souligner fortement, ce soupçon est tout à fait contraire à l'attitude de Jésus. Il avait rompu, lui, avec la tradition qui considérait la femme comme impure à de nombreuses périodes de sa vie et source de péchés. Il comptait des femmes parmi les disciples qui le suivaient, ce qu'aucun prêcheur avant lui n'avait jamais accepté (Lc VIII, 1-3). Elles l'accompagnèrent, seules, jusqu'à la Croix. Elles furent, disent les Évangiles, les premiers témoins de la résurrection. Elles tinrent des rôles importants dans les premières communautés chrétiennes. Ensuite, le poids des usages, les influences romaine et grecque conduisirent à effacer une bonne partie de ce message[11].

Restait à savoir comment Satan pouvait exister sous le règne de Dieu. À cette époque – IIe et IIIe siècles –, on en discutait encore très vivement.

L'idée que les démons étaient nés des relations des anges avec les femmes restait très répandue. Mais il existait des explications différentes :

— La jalousie des anges, créés avant les hommes. Cette thèse était apparue déjà dans *La Vie latine d'Adam et Ève* (voir p. 30). Elle fut reprise par Irénée, l'évêque de Lyon. Avec une variante, signe d'une rare capacité d'imagination. Irénée raconta qu'au paradis l'homme était servi par des anges que commandait un chiliarque (chef d'une unité de mille soldats dans l'armée grecque de l'époque). Ce chiliarque enviait la situation de l'homme, objet de nombreuses faveurs de Dieu. Il provoqua donc, par fourberie, le péché d'Adam. Heureusement, Dieu, dans sa grande justice, traita différemment l'ange trompeur et l'homme trompé. Il se sépara de l'ange, Satan. Mais il eut pitié de l'homme.

— Tatien, jeune Syrien, disciple de Justin, reprit l'explication des anges déchus devenus démons, mais sans faire mention du « commerce avec les femmes ». Pour lui, l'orgueil fut le mobile de la faute initiale : c'est le premier-né et le plus intelligent des anges qui, dans son orgueil, a voulu se faire adorer des hommes à l'égal de Dieu. Lequel l'a rejeté, ainsi que tous ceux qui l'ont imité.

— Origène a introduit une autre variante. Né de parents chrétiens – un père romain et une mère égyptienne – martyrisés par l'empereur Septime Sévère, il avait été recueilli par une riche chrétienne et poursuivit de longues études de philosophie. À propos des anges déchus, il écrivit que, à l'origine, tous les esprits étaient purs. Les uns, s'étant opposés à Dieu, dévinrent les démons. Les autres, qui avaient moins péché, furent les anges. Ceux-ci – il faut le souligner – ne sont donc pas aussi parfaits qu'on le dit d'ordinaire. Mais ils portent secours aux hommes, aux âmes. Les âmes, en effet, « n'avaient pas assez péché pour devenir des démons, ni n'étaient assez légères pour être des animaux[12] ».

Les relations des démons et des animaux sont d'ailleurs une des grandes passions d'Origène. Pour lui, chaque espèce de démon a une affinité avec chaque espèce d'animal[13].

L'avantage des âmes, des hommes donc, c'est d'être entourés, chacun, de deux anges, « le mauvais qui les pousse au Mal, le bon qui les pousse au Bien ». L'idée de l'ange gardien n'était pas tout à fait neuve. La voilà précisée. Mais cette thèse est dualiste, donc suspecte.

— Une autre thèse fut développée des siècles plus tard par Anselme de Canterbury, archevêque et grand théologien de la rédemption. Pour lui, la chute des anges n'avait rien à voir avec les hommes, puisqu'elle était antérieure à Adam. Simplement, les anges, êtres rationnels ayant reçu de Dieu le libre arbitre, en avaient usé : pour s'opposer à Lui[14]. Seulement voilà : ces révoltés étant déchus, le contingent d'anges bons devenait bien limité. C'est pourquoi Dieu allait créer la race humaine. Pour compenser. Pour que le nombre de bienheureux qu'Il avait prévu fût respecté.

Isidore de Séville, évêque andalou dont l'influence sur la pensée hispano-arabe fut considérable, avait déjà écrit au VIe siècle : « Le nombre des anges bons, qui avait diminué avec la chute des anges mauvais, sera complété par le nombre des êtres humains élus, nombre que seul Dieu connaît[15]. » Certains, il est vrai, assuraient que Dieu aurait créé les hommes de toute manière, même s'Il n'avait pas jugé nécessaire de renforcer le contingent des élus. Mais ils étaient loin de faire l'unanimité. Au XIIe siècle encore, le Bourguignon Bernard de Clairvaux, docteur de l'Église, affirmerait : « Voilà pourquoi le Fils a créé les hommes [...] : il voulait qu'ils remplissent les places demeurées vides[16]. » Malheureusement, l'homme, entraîné par Satan le jaloux, sombra à son tour dans le péché. Le rachat de la race humaine devint indispensable à la réussite du projet divin. Ce fut la mission de Jésus.

Tous ces débats et ces hypothèses s'accompagnaient de précisions sur le rôle exact du diable et de ses troupes. Ainsi Tatien, soucieux de l'origine du Mal qui frappe aussi bien les bons que les méchants et détourne nombre d'humains de la foi en un Dieu d'amour, accusa-t-il les démons d'avoir « introduit la fatalité, maîtresse souverainement injuste[17] ».

Ainsi, Origène apportait des nuances au tableau des maléfices du diable : « Certains, parmi les simples, écrivait-il, disent que si le diable n'existait pas il n'y aurait pas de péché. » Ce n'est pas évident : « Pas plus que le diable n'est cause de la faim et de la soif, il ne l'est du désir sexuel. C'est pourquoi je pense qu'il y a des péchés que nous commettons sans l'intervention des puissances mauvaises. »

Origène pensait d'ailleurs que toute la Création serait finalement rachetée. Et il jugeait possible – pas certain – que l'ange déchu, Satan, bénéficie en fin de compte, lui aussi, de l'immense bonté de Dieu. Ce qui contribua – un peu – à le faire condamner par les conciles au VIᵉ siècle.

Augustin, enfin, le grand évêque d'Hippone (actuelle Algérie), s'était interrogé sur la nature du ou des diable(s). S'intéressant aux anges déchus, il expliqua dans un traité sur la *Divination des démons* que, créés avant les hommes, ils ont conservé bien des privilèges de leur nature antérieure : savoir, expérience, corps ni vraiment matériel ni totalement spirituel qui leur donne une célérité prodigieuse, « sans commune mesure avec la course des hommes et des bêtes sauvages et même avec le vol des oiseaux » ; une capacité, enfin, à s'introduire partout, y compris dans le corps et l'esprit des humains. Ils ont aussi le pouvoir « d'envoyer même des maladies, de rendre l'air malsain », de commander aux rêves, « de susciter des visions ».

Augustin avait enfin, dans son ouvrage central, *De doctrina christiana*, lancé l'idée, appelée à un grand succès, du « pacte avec le diable ». Il évoquait les hommes qui cherchaient à « conclure et sceller par certains traités d'alliance une communication » avec les démons.

Enfin, il dressa l'inventaire des superstitions. Ce qui est une autre histoire. Sans fin.

VII

Le haut Moyen Âge : superstitions, magiciens et sorciers

L'histoire de l'Église catholique bascule au IVe siècle. Grâce à un personnage trop oublié, Constance Chlore (de *chlorus*, qui signifie pâle). Devenu auguste, c'est-à-dire empereur romain, en 305, il fait cesser dans ses États la persécution contre les chrétiens. Son fils Constantin lui succède à sa mort, un an plus tard, confirme ce changement d'attitude en 313 et se convertit. Bien plus, en 324, il prend des mesures contre le paganisme et, en 325, convoque lui-même et préside en personne le concile de Nicée. Voici donc l'Église libre, sous son contrôle, de progresser dans tout l'empire. Elle va y affronter des concurrents de Satan et découvrir des superstitions nouvelles.

Les premiers Pères de l'Église l'avaient prévu. Les autres n'en furent pas surpris. Origène, dans son *Contre Celse*[1], avait évoqué par exemple « les démons terrestres qui ont en partage des régions différentes » et dont les noms sont « prononcés de la façon qui convient au dialecte du lieu et du peuple ». Autrement dit, ce sont les mêmes, y compris Satan, mais ils s'affublent de patronymes divers. Notamment ceux des autres dieux. Ainsi Tertullien dénonça-t-il certaines formes du culte du dieu perse Mithra : « On reconnaît les ruses du diable, qui imite certaines réalités divines. »

La mondialisation de Satan commence. Elle ne se heurte pas à d'infranchissables frontières. Mais le terrain est encombré. Dans tous les territoires où s'avance la jeune Église chrétienne, les superstitions et les croyances en des personnages maléfiques sont multiples. Sorciers et sorcières, pas toujours liés au diable, sont également nombreux, sous des noms divers.

Certaines pratiques datent de temps immémoriaux. Tel l'enchantement des herbes, auquel faisait allusion le Livre d'Henoch, que l'on coupe au clair de lune avec des faucilles d'airain. Au XIIIe siècle encore, le grand théologien dominicain Thomas d'Aquin citera cette pratique, tout en s'efforçant de la « baptiser », si l'on peut dire, faute de pouvoir l'empêcher tout à fait. « Il est interdit aux chrétiens, écrit-il, de se livrer à des "observations" ou des incantations en recueillant des herbes qu'on nomme médicinales, sauf à se munir du Symbole divin [le Credo] et de la prière dominicale[2]. »

D'autres superstitions avaient été importées en Occident par ceux que l'on appelait les « barbares », les peuplades venues de l'est. Ainsi les chants des oiseaux étaient-ils réputés annoncer des événements heureux ou malheureux. La direction de leur vol aussi : un corbeau traversant de gauche à droite le chemin du voyageur lui annonçait un trajet sans aléas. De même faisait-on installer aux carrefours des « figures de pied » en bois représentant les dieux protecteurs présidant aux chemins, qui guérissaient aussi des maux des membres inférieurs.

Mais on ne saurait mettre au compte des seuls « barbares » une invasion de superstitions. Pas davantage, d'ailleurs, qu'un certain « affaissement de la civilisation » ou le recul de l'univers culturel qui affecta le milieu du Ier millénaire.

Les superstitions, saint Augustin (le premier à évoquer les fées) en avait dressé un étonnant relevé sur de longues pages dans son grand ouvrage *De doctrina christiana*. Il évoquait, par exemple, les actes que les chrétiens devaient réprouver : porter des amulettes protectrices (« anneaux d'osselets d'autruche » au doigt, par exemple) ; utiliser les techniques de l'astrologie antique ; retourner au lit si, au réveil, on a éternué en se chaussant ; piétiner le seuil de sa maison en partant ; et ainsi de suite...

Les Pères de l'Église avaient aussi, bien avant l'arrivée des « barbares », mis en garde contre les rêves. Pas tous. Car il y avait, il y a, rêve et rêve. Certains étaient des messages de Dieu, tel le songe dont avait bénéficié Joseph lui annonçant que Marie aurait un fils, Jésus (Mt, I, 20-22). D'autres, dans la Bible des Hébreux, étaient des ruses de Yahvé pour éprouver les hommes[3]. D'autres encore avaient pour auteurs des chrétiens décédés dont la perfection était reconnue et qui venaient, de cette façon, prodiguer des conseils. Mais, bien sûr, le diable ne se privait pas de les utiliser pour tromper son monde. Ceux-là, les Pères de l'Église connaissaient un moyen de les identifier. Car le diable, pour pousser au péché, utilisait la vision de la femme.

À cet égard, le récit des tentations d'un certain Antoine, paysan égyptien aisé, a joué au IVe siècle un rôle capital.

Antoine s'était enfoncé dans le désert – jamais très éloigné de la vallée du Nil – pour partager son temps entre travail, veille et prière. Car il avait été illuminé par le conseil de Jésus à un jeune homme riche : « Si tu veux être parfait, va, vends ce que tu possèdes et donne-le aux pauvres ; et tu auras un trésor dans les cieux » (Mt XIX, 21).

Antoine vivrait seul, décida-t-il, dans cette mer de sable heurtée de rocs. Il fut sans doute le premier moine : un ermite.

D'autres jeunes Égyptiens avaient suivi son exemple. L'un d'eux, Athanase d'Alexandrie, écrivit vers 360, quelques années seulement après la mort du moine, une *Vie de saint Antoine* qui, aussitôt copiée et recopiée, traduite en latin, devint – si l'on peut dire – une sorte de best-seller. Qui faisait la part belle au diable. Comme s'il avait hanté les jours et les nuits de l'ermite.

« Le démon, écrit Athanase, lui chatouillait les sens ; Antoine rougissait de honte comme si cela fût de sa faute, fortifiait son corps par la foi, la prière et les veilles. Le démon, se voyant ainsi battu, prit de nuit la figure d'une femme et en inventa toutes les actions afin de le tromper. Mais Antoine, élevant ses pensées vers Jésus-Christ et se rappelant la noblesse de l'âme qu'il nous a donnée, éteignit le feu de la passion dont le démon voulait embraser son cœur. Le démon tenta encore de lui remettre devant les yeux les douceurs de la volupté, mais Antoine entra en colère et se représenta l'enfer où tomberont les impudiques. »

Ce n'était pas fini. L'ermite s'étant enfermé dans une cellule, le diable lui envoya des animaux sauvages, des scorpions et – bien sûr – des serpents, qui se ruaient sur lui en hurlant.

Antoine ne céda point. Alors, Jésus lui apparut et lui promit la célébrité éternelle en récompense de sa résistance.

Ce qui fut le cas.

Voilà pour les rêves. Mais le christianisme lui-même allait contribuer au développement des superstitions. En raison notamment du culte des reliques, né au IIIᵉ siècle et qui avait connu aussitôt (et connaîtrait au moins jusqu'au temps des croisades...) un extraordinaire succès. On allait chercher, voler ou acheter aux Orientaux les os des saints, des morceaux de bois supposés avoir appartenu à la vraie Croix, des étoffes que les hommes pieux les plus célèbres avaient portées, ou encore les objets qu'ils avaient touchés. L'on exhumait aussi les corps des Occidentaux réputés saints pour en extraire quelque ossement. Clovis II, fils de Dagobert, qui nourrissait un culte fervent pour saint Denis, se rendit lui-même, dit-on, à l'abbaye où celui-ci était inhumé et lui coupa un bras afin de le garder toujours près de lui. Ce qui fit scandale.

Le culte des reliques prit une telle importance qu'il contribua au développement des villes qui avaient la chance d'en posséder, influença l'architecture et enrichit les orfèvres qui construisaient de superbes châsses pour les accueillir. La possession des corps des saints devint un enjeu capital. Celui de saint Martin de Tours, qui attirait de nombreux pèlerins, semble avoir été très convoité.

En témoigne un épisode légendaire selon lequel, lors des invasions normandes, on fit quitter Tours au corps du saint, afin de le protéger. Il fut transporté à Auxerre, près de la châsse de saint Germain. Les chanoines tourangeaux qui accompagnaient la relique et les chanoines auxerrois devinrent bientôt rivaux : qui, des deux saints, guérissait davantage de malades ? Ils s'entendirent sur une sorte de test : un lépreux serait placé une nuit entière entre les châsses des deux saints, que prieraient dans le même temps les chanoines des deux villes… Au matin, seul le côté du lépreux tourné vers le corps de saint Martin était guéri. On organisa une contre-épreuve la nuit suivante en plaçant du côté de saint Martin la partie encore malade du lépreux. Le lendemain matin, il était complètement sauvé. Légende à coup sûr, cette histoire témoigne de l'importance accordée alors à ce culte.

Bien sûr, des formes parfois extravagantes du culte des reliques peuvent prêter à s'étonner, à mépriser, à se scandaliser, ou à rire. Mais ce n'était pas un problème simple pour l'Église – ça ne l'est toujours pas aujourd'hui. Il s'explique en partie par la racine latine du mot *superstitio* : elle associe la notion de témoignage à celle de survivance. Survivance d'un fonds de croyances et de rites très anciens où l'objet matériel et visible sert de moyen de communication avec l'esprit spirituel et invisible. Témoignage, aussi, de la présence persistante du saint. La relique, l'image, servent de média avec le sacré. Les esprits forts peuvent en rire. Ils gardent pourtant les images d'êtres chers disparus ou d'événements importants pour eux. Demeure pour les religions une question de frontière. Elles ne peuvent admettre que l'objet, l'image, dépassent leur fonction de « passeurs ».

Le vol des reliques était d'ailleurs considéré jadis comme digne d'éloges, s'il était effectué pour la bonne cause. Un envoyé de Saint-Médard-de-Soissons, « animé d'une pieuse dévotion, de la force de l'amour et d'un désir impatient », déroba ainsi le crâne de saint Grégoire le Grand[4].

Aux tout premiers siècles du christianisme, l'ambiguïté régnait d'autant plus qu'il fallait distinguer, dans ce monde de rites et de superstitions, entre ce qui était inspiré par la vraie foi nouvelle ou les croyances anciennes souvent considérées comme manigancées, inspirées, par Satan et ses troupes.

L'Église utilisa parfois des compromis, ou plutôt des transferts : les offrandes faites aux idoles devaient être désormais apportées aux saints protecteurs. Ainsi, à la fin du VIIe siècle, en Espagne, les clercs firent-ils porter dans les églises les offrandes accumulées autour d'arbres sacrés, de sources, de carrefours, ou au sommet des collines. Ainsi encore, vers 730, l'Anglais Boniface, devenu religieux à l'âge de sept ans et qui serait ensuite déclaré saint, abattit un chêne consacré à une idole pour construire au même endroit un oratoire dédié à saint Pierre.

Car l'Église développait le culte des saints. Même si l'on ne disposait pas de leurs reliques, on pouvait les prier ou se rendre en un lieu qu'ils avaient fréquenté pour y demander leur intercession, afin de guérir de quelque maladie, retrouver un objet perdu, voire gagner une bataille. Ainsi saint Magloire, ermite qui vivait dans l'île anglaise de Sercq, du côté de Guernesey, fut-il prié – avec succès semble-t-il – pour aider certains Bretons à résister aux invasions normandes.

Bien sûr, l'Église condamna aussi. Entre le Ve et le Xe siècle, on relève, dans la limite de la France de l'époque, plus de vingt synodes diocésains dénonçant en détail certaines superstitions. Les « pénitenciels » (livrets de questions que les confesseurs devaient poser aux pénitents) en dressaient des listes imposantes, notamment dans les îles Britanniques et les pays germaniques.

Les superstitions y étaient souvent mêlées à d'autres fautes – l'avortement, l'adultère, le vol, les coups – mais jamais punies très sévèrement : jeûne au pain et à l'eau, prières de repentir. Et graduées : si elles avaient une « cause d'amour », un laïc se voyait infliger six mois de pénitence, un prêtre cinq ans ; si un maléfice provoquait un avortement, il fallait ajouter six carêmes. La divination « démoniaque » était punie aussi sévèrement.

Dans cette lutte, l'Église fut appuyée par les autorités civiles qui lui étaient désormais alliées. Ainsi Childebert Ier, fils de Clovis, ordonna-t-il par un édit de détruire les statues « dédiées aux démons par les hommes » dans les champs. Ainsi Charlemagne décréta-t-il que « l'habitude exécrable à Dieu d'allumer des lumières » ou de pratiquer « d'autres observances » près de certains arbres, pierres ou sources, « soit supprimée et abolie »[5].

Dans le même texte, l'empereur ordonna qu'il « n'y ait plus de calculateurs, d'incantateurs, d'observateurs du temps, de magiciens ; là où ils existent, qu'ils s'amendent ou soient condamnés ».

Il n'est pas certain, loin de là, que cet édit ait eu beaucoup d'effet. Il est sûr, en revanche, que ces magiciens, calculateurs, etc. – ces sorciers pour simplifier – étaient nombreux. Depuis longtemps. Et partout[6].

Le droit romain avait condamné au Ve siècle avant J.-C. le « crime de magie ». Les Goths, « barbares » germains qui peuplaient les territoires de l'actuelle Pologne avant de se répandre à l'ouest, accusaient des sorcières d'avoir donné naissance à leurs ennemis les Huns par leurs relations – sexuelles évidemment – avec des « esprits immondes ».

Mais l'action des sorcières et sorciers pouvait être aussi bien bénéfique que maléfique.

Une autre ambiguïté fondamentale, aux conséquences multiples, et qui se prolongerait longtemps.

Exemple premier, les Romains : ils croyaient en l'existence d'« influences errantes », toujours malfaisantes, les « larves », régnant la nuit sous forme de spectres ou d'animaux pour détruire les moissons, ravager les troupeaux et persécuter les vivants – parfois jusqu'à la mort. Ces violents étaient commandés (à en croire les Romains mais aussi les Grecs) par Hécate, déesse à trois têtes, « puissante dans le ciel et dans l'Érèbe » (la partie la plus ténébreuse des enfers), écrit Virgile.

Hécate se plaisait à répandre le Mal, accompagnée d'une meute de chiens « hurlant à la lune » (présente dans la quasi-totalité des histoires de ce genre). Or, les sorciers étaient à la fois les auxiliaires et les adversaires de cette dangereuse déesse. Auxiliaires, ils facilitaient l'absorption des « larves », notamment en faisant avaler des fèves qui propageaient la peste. Adversaires, ils plantaient un grand clou dans le sol, là où était tombé un épileptique (maladie sacrée en raison de ses effets foudroyants et terrifiants), afin de fixer le Mal à cet endroit pour en délivrer le patient. Le tout était bien entendu accompagné d'incantations multiples, de chants cadencés et d'étranges formules. Une manière, il est vrai, de souligner la puissance de la voix humaine.

Le développement du christianisme n'allait pas modifier beaucoup ce sentiment d'une ambivalence – bénéfique ou maléfique – de la sorcellerie. Augustin avait d'ailleurs laissé entendre que le pouvoir de celle-ci venait parfois de Dieu.

Un archevêque de Lyon, Agobard, décrivit au IXe siècle des personnages appelés *tempestarii*, responsables de la grêle et des orages, lesquels étaient transportés à travers les nuages par des navires venus d'une région appelée Magonia. Mais des *defensores*, de bons sorciers ceux-ci, protégeaient les malheureux paysans de ces catastrophes. En échange, il est vrai, d'une redevance... Ces bons sorciers étaient quand même, aux yeux d'Agobard, des usurpateurs puisque l'argent donné par les paysans n'allait pas à l'Église... Les mauvais, eux, ne méritaient aucun crédit puisque personne n'avait jamais vu un *tempestarius* provoquer la grêle à volonté.

À la même époque, un autre archevêque, de Reims celui-ci, nommé Hincmar, publia un long traité qui admettait encore que la sorcellerie pouvait servir au Bien ou au Mal. Peu avare de détails, il racontait – « avec honte », disait-il – que des chrétiens, pourtant libérés du Mal, avaient usé, pour se protéger, de potions composées d'ossements de morts, de cendres, de cheveux et de poils provenant du sexe d'hommes ou de femmes, d'herbes et, bien sûr, de morceaux de serpents.

Comment trier les bons et les mauvais sorciers, le même pouvant jouer les deux rôles ? Par le résultat de leur action.

Bien des « sorcières » étaient, dans le haut Moyen Âge, des « guérisseuses » ou des expertes en accouchement, préparant des médicaments à partir de plantes ou utilisant des formules magiques. Elles ne devenaient l'ennemi que lorsqu'elles échouaient ou provoquaient un malheur.

En outre, elles étaient parfois confondues avec les fées, comme en témoignent les mythes attachés à la déesse romaine Diane, appelée Artémis chez les Grecs, qui préside dans de nombreux récits médiévaux aux chevauchées nocturnes des sorcières.

Les historiens des religions se sont beaucoup interrogés à son sujet. Or, Mircea Eliade indique qu'elle semble avoir inspiré – notamment en Roumanie – la croyance dans les fées, belles jeunes filles enjouées et fascinantes, invisibles le jour, dansant la nuit, voiles blancs ne cachant guère leurs seins nus, frappant de maladies ceux qui assistent à leurs fêtes, mais également signes de fertilité[7].

La distinction entre fées et sorcières restera longtemps difficile. En témoigneront, aux XIIe et XIIIe siècles, plusieurs histoires de nobles seigneurs épousant des femmes serpents.

Telle celle de Mélusine, fille aînée d'un roi d'Écosse, qu'un neveu du comte de Poitiers rencontre à la Fontaine (aux fées), selon les uns, près d'une rivière selon d'autres, car il existe de multiples versions de cette histoire. Il l'épouse. Elle lui fait jurer de ne jamais chercher à la voir le samedi, jour où (pour la punir d'avoir trahi son propre père) elle est transformée en serpent. Mélusine, mariée, défriche les terres, construit châteaux et forteresses. Elle est donc source de prospérité. Elle donne à son époux beaucoup d'enfants, mais ils ne vivent pas toujours heureux pour autant. Car l'un des fils brûle un monastère et ses occupants. Le couple se dispute. Mélusine finit par s'enfuir sous forme de serpent ailé. Elle reviendra la nuit s'occuper de ses plus jeunes fils, en s'annonçant par un lugubre ululement. Son époux, désespéré, se fait ermite. Et il la traite de « très fausse serpente ». Pourtant, dans cette histoire, Mélusine n'apparaît pas comme tout à fait méchante. Elle fut humaine et fée bienfaisante, rattrapée en fin de compte par le Mal de ses origines. Elle a eu une action positive, elle a défriché, construit, eu beaucoup d'enfants, avant de réapparaître, pour finir, sous des traits démoniaques[8].

Sous d'autres formes, une égale capacité à faire le Bien ou le Mal – qui se prolongera – se manifeste chez certains personnages d'une autre religion née au VIIe siècle : l'islam.

VIII

Iblis et les djinns

Il s'appelle al-Shaytân. C'est le diable musulman.
Qui, dans le Coran, porte aussi un autre nom : Iblis. Un
nom qui signifie sans doute – la question est discutée –
« celui qui n'a rien à attendre » (de la miséricorde de
Dieu). Il arrive aussi qu'on l'appelle « Adu Allah »
(ennemi d'Allah) ou, tout simplement, « al-Adu »,
l'Ennemi.

C'est un ange déchu. Comme Satan depuis la diffusion du Premier Livre d'Henoch. Dans un monde intermédiaire entre le Ciel et la Terre vivent en effet les
anges, et des génies plus mystérieux appelés « djinns ».

Les anges sont des « corps subtils », créés de lumière
et munis d'ailes. Comme dans la Bible des Hébreux, ils
ont pour fonction d'adorer Dieu et aussi de transmettre
ses messages. C'est ainsi que Mahomet, qui se rendait
pour prier et méditer sur le mont Hira, proche de
La Mecque, reçut dans une grotte la visite de l'ange
Gabriel qui lui transmit la révélation du Livre.

Les anges, asexués, sont supérieurs aux prophètes,
sauf Mahomet, bien sûr. Ils ne sont pas seulement des
agents de transmission : s'ils enregistrent les actes des
hommes et les présentent à Dieu lors du jugement, ils
intercèdent aussi pour le croyant qui a péché.

Iblis, le rebelle, est un orgueilleux, lui. Quand Allah
crée l'homme, Adam, il demande aux anges de se
prosterner devant lui, puisqu'il incarne le début de la

Création. Le Coran évoque ainsi « le Tout-Puissant, le Miséricordieux, qui si bellement fit toute chose par Lui créée. Il inaugura la création de l'homme à partir d'une argile » (XXXII, 71). Fait de feu, Iblis refuse de se prosterner devant un être créé d'argile (une histoire qui rappelle celle que colportaient des Hébreux au 1er siècle, nous l'avons vu).

Ainsi parle Allah dans le Coran :

« Nous avions dit aux anges : "Prosternez-vous devant Adam." Ils l'avaient fait à l'exception d'Iblis, qui s'y refusa.

« Or, nous dîmes : "Adam, celui-ci est un ennemi pour toi et pour ton épouse. Qu'il ne vous fasse pas sortir du Paradis, ce qui serait pour toi souffrances.

« "Il t'est concédé de n'y pas éprouver faim ni dénuement.

« "Tu n'y auras pas soif, ni insolation."

« Or, Iblis lui insinua : "Adam, te guiderais-je à l'arbre d'éternité et à une souveraineté inusable ?"

« Adam et sa compagne goûtèrent donc au fruit de cet arbre. Leurs parties honteuses leur apparurent : ils se mirent à se couvrir de feuilles du Jardin.

« Adam a donc désobéi à son Seigneur, et a erré.

« Plus tard, son Seigneur devait le favoriser de prédilection : il accepta sa repentance et le guida » (XX, 115-122).

Ainsi, Adam n'est pas condamné pour toujours. Il va subir en permanence l'épreuve de la tentation. Mais le Miséricordieux l'aidera.

Iblis, lui, ayant été maudit par Dieu, de même que ses compagnons de révolte, sollicite et obtient « un délai jusqu'au jour où les hommes seront ressuscités ». Pendant ce temps, il va tenter de corrompre tous les hommes, à l'exception des croyants, fidèles serviteurs d'Allah. Dans les textes coraniques, il apparaît toujours pour induire l'homme en erreur, le pousser à la faute, l'inciter au doute. Mais au jour du jugement, le délai écoulé, il sera expédié dans la géhenne, l'enfer musulman, avec ses auxiliaires les démons, et les hommes qu'il aura pervertis, lesquels seront damnés et torturés comme lui par un remords éternel (XXVI, 94-95).

Les théologiens ont parfois discuté de la nature réelle d'Iblis : était-il un ange ou un djinn ? Et les démons sont-ils des djinns rebelles ? Les djinns, en tout cas, sont des êtres intelligents, créés de feu sans fumée (LV, 15), doués d'un corps fait de matière subtile qui peut se fondre partout, un peu comme celui des fantômes.

Il existe de bons et de mauvais djinns : nous retrouvons encore la dualité principe du Bien-principe du Mal. Les bons peuvent aider les hommes en conjurant les mauvais sorts. Les mauvais se réunissent la nuit, de préférence dans des ruines, pour comploter contre les humains. Parfois, c'est Allah lui-même qui les manipule pour punir des hommes coupables. Mais le vingt-septième jour du Ramadan, lors de la « nuit du Destin », tous les djinns sont attachés. Les hommes en sont donc protégés.

Ils peuvent l'être aussi, bien sûr, par la prière.

Le folklore en pays musulman accorde aux djinns une large place. La foi en de tels personnages a aussi servi de pont entre l'animisme – la croyance en des esprits résidant dans des lieux ou des objets, croyance très répandue en Afrique noire – et l'islam.

Celui-ci, étant conquérant, constitua dès le début du VIIIe siècle – quelques décennies seulement après la mort de Mahomet – un immense empire politique et religieux, allant de l'Atlantique à l'Asie. La majorité des chrétiens d'Asie et d'Afrique et des zoroastriens furent contraints d'y adhérer. Cet empire se divisa au IXᵉ siècle en raison de l'opposition entre sunnites (fidèles à la Sunna, ensemble de préceptes postérieurs à Mahomet) et chiites (partisans d'Ali, gendre du Prophète, qui la rejettent). Mais tous croient en Iblis.

IX

Autour de l'an mil : espoirs, terreurs et hérésies

Ils avaient faim, ils avaient froid, ils souffraient de mille maladies, leurs terres étaient traversées, souillées, par des bandes armées. Mais beaucoup, en tous ces siècles, gardaient au cœur, mêlée de craintes et de peur parfois, une secrète espérance : le retour du paradis perdu.

L'Apocalypse, à laquelle se référaient évêques et prêtres dans leurs interminables sermons, n'avait-elle pas annoncé que le diable, enchaîné pour mille années, serait ensuite libéré ? Ce qui entraînerait combats et dégâts. Mais le Bien, finalement, triompherait. Les justes, les humiliés, les malmenés seraient enfin rétablis dans leurs droits, leur dignité et le bonheur. L'âge d'or. Le monde serait libéré du Mal.

Ils n'étaient pas vraiment terrorisés par l'imminence de la fin du monde. Ils attendaient, s'interrogeaient.

L'Église, dont le pouvoir s'étendait, n'en promettait pas trop. Cet an mil et ce qui s'ensuivrait, elle voulait bien en parler, mais seule. Faire taire ceux qui se répandaient dans campagnes et cités, annonçaient qu'ils connaissaient déjà le jour et l'heure, et voulaient les anticiper en abattant les barrières, en sapant l'autorité, en récusant les pouvoirs. Ceux-là ne manquaient pas d'arguments. Un fouillis de croyances étranges et parfois contradictoires leur en fournissait. Il leur était facile, aussi, de présenter ceux qui les pourchassaient au nom de la vraie foi comme des suppôts de l'Antéchrist. Les textes sacrés n'avaient-ils pas dit que l'Antéchrist, se présentant comme un ange de lumière, en tromperait plus d'un, troublerait les justes et les fidèles ?

De ces débats et de ces combats restent peu de textes d'époque.

En voici cependant un, très révélateur. Il date de la fin du VIIe siècle. Il est signé Méthode, du nom d'un évêque du IVe : comme nous l'avons déjà vu, il était alors courant et pas trop scandaleux de signer un texte d'un nom illustre afin de lui donner plus d'autorité.

Selon cet écrit, l'Antéchrist, appelé « fils de perdition », serait un Juif, de la tribu de Dan (l'une des plus petites des douze tribus d'Israël, Dan étant un fils de Jacob et de Bilhah, servante de son épouse Rachel).

Ce fils de perdition, donc, accumulerait les signes et les prodiges, accompagné bien sûr d'un serpent. « Les aveugles verront, écrivait le pseudo-Méthode, les boiteux marcheront, les sourds entendront, les possédés seront guéris, le soleil se changera en ténèbres. » Et l'histoire finirait mal. Par une série de catastrophes. Dieu, cependant, ne supporterait pas d'assister à la perte du genre humain. Il tuerait le fils de perdition « par le souffle de sa bouche ». Les justes, alors, resplendiraient comme des étoiles. Les impies seraient rejetés dans l'enfer.

Voici plus intéressant : avant ce combat final, « la race d'Ismaël [fils d'Abraham, considéré comme l'ancêtre de l'islam] aurait commencé de sortir du désert d'Arabie ». Dieu aurait donné aux fils d'Ismaël la terre des chrétiens, « en raison des péchés et des injustices que ces derniers commettent ». Suivait une longue description des méfaits de ces nouveaux « barbares » venus d'Orient : « Le meurtre, la ruine, et le feu, purgatoire du peuple chrétien. »

Ce texte est issu d'une Syrie déjà submergée par la poussée de l'islam. Satan n'y est pas nommé. Au contraire, c'est Dieu qui a choisi les ismaéliens pour punir les chrétiens de leurs fautes. Les musulmans ouvrent donc le chemin au fils de perdition[1]. Ils finiront par être eux-mêmes diabolisés.

Il faut souligner l'hésitation de la pensée, à cette époque, sur l'origine du Mal. Dans ce texte du pseudo-Méthode, il s'agit d'une punition divine, les ismaéliens étant l'instrument choisi par Dieu. Dans un texte postérieur, du Xe siècle, de la veille de l'an mil donc, l'initiative vient au contraire de Satan.

Cet écrit-là est dû à un moine théologien jouissant alors d'un grand renom, Adson. Le personnage principal de son récit est toujours l'Antéchrist, mais il n'est plus question des musulmans.

L'Antéchrist, cette fois, est clairement défini comme un agent de Satan. Celui-ci l'a soigneusement préparé. Il a mis à sa disposition, pour l'éduquer et l'aider, toute une cohorte de « magiciens, sorciers, devins et enchanteurs ». D'ailleurs, la mère de cet Antéchrist a été pénétrée par le diable au moment de sa conception, de même que l'Esprit, selon les Évangiles de Luc et Matthieu, était venu sur Marie.

Cet Antéchrist-là est le Mal absolu. Il va pourtant tromper même les « parfaits ». D'où le lecteur est amené à conclure que nulle personne, nulle institution, si saintes soient-elles, ne peuvent résister toujours aux entreprises diaboliques, que toutes peuvent être soupçonnées.

Saint Augustin avait déjà laissé entendre qu'il existe deux Églises : celle du Christ, évidemment, mais aussi, *mêlée à elle*, une Église du diable, corps du diable ou de l'Antéchrist. Cette idée a fait son chemin : Adson la reprend et la développe, calque même, comme on l'a vu, le récit de la conception de l'Antéchrist sur celle du Christ.

Ainsi la pensée dominante progresse-t-elle vers l'Inquisition, destinée à lutter contre l'« Église secrète du diable » infectant de l'intérieur celle du Christ.

Dans l'immédiat cependant, écrit Adson, l'Antéchrist aura été vaincu. Après quoi, un temps de quarante jours sera donné aux justes qu'il avait séduits, afin que ceux-ci fassent pénitence[2].

Et voilà que l'an mil arrive.

En vérité, tout le monde ne l'attend pas avec la même crainte ou la même espérance. D'ailleurs, on ergote sur l'année exacte. Faut-il compter les fameux mille ans à partir de la naissance de Jésus dont le moine Denis Le Petit avait fixé la date, en se trompant d'ailleurs[3], ou à partir de sa mort, ce qui mènerait, pense-t-on alors, à 1033 ? Il existe donc un double « millénium ».

Or, que se passe-t-il en ces années-là ?

Pas d'événement considérable, à la mesure du récit apocalyptique en tout cas.

Nous disposons du récit d'un moine bourguignon, Raoul, appelé aussi Glaber, qui ne manque pas de qualités d'historien. Qu'a-t-il vu et entendu ?

D'abord, une grande ferveur religieuse qui se traduisit par la rénovation ou la construction d'églises et de basiliques : « C'était comme si le monde lui-même se fut secoué et, dépouillant sa vétusté, avait revêtu de toutes parts une blanche robe d'églises. »

On dresse aussi de nombreuses croix. La croix était jusqu'alors peu montrée, surtout si elle représentait le Christ torturé : l'apôtre Paul ne soulignait-il pas que cette crucifixion était un « scandale pour les juifs et folie pour les païens » (I Co, I, 23) ? Il est vrai que dans des textes apocryphes anciens, l'Évangile de Pierre et l'Apocalypse de Pierre, elle ressuscitait avec Jésus, parlait comme un homme, était associée à la gloire du Christ. Mais on avait assez rapidement oublié cette « croix de gloire » au profit de celle du supplice. Si bien qu'on ne montrait guère celle-ci.

Et voici qu'on la dresse un peu partout. Comme un défi à l'Antéchrist. Mais celui-ci tarde à se manifester.

Ceux qui l'attendent peuvent s'impatienter.

Qu'observent-ils en effet ?

Quelques signes dans le ciel, ce qui est assez classique dans l'histoire des religions. Une comète, apparue pendant l'été 1014, ayant la forme d'un glaive et dont le feu dévora plusieurs sanctuaires, châteaux et monastères. Un combat mettant aux prises deux étoiles, tandis que la lune devient « couleur de sang » ou disparaît. Une éclipse de soleil, datée du 29 juin 1033, rapportée par un chroniqueur, Sigebert de Gembloux, qui brosse un terrible tableau de cette époque : épouvante, crimes, pillages, incestes et ainsi de suite. Cependant, si l'existence de l'éclipse semble corroborée par d'autres témoignages, ce sombre tableau ne l'est apparemment pas.

Passons sur l'apparition, en 1004, d'une baleine d'une « surprenante grosseur ». Retenons surtout que, les princes et les rois se faisant la guerre, « un secret jugement du Seigneur fit s'abattre sur leurs peuples la vengeance divine », le mal des ardents, provoquant gangrène et convulsions. Et notons que, là encore, ce n'est pas l'Antéchrist mais Dieu qui est à l'origine du mal, frappant d'ailleurs les peuples autant, voire davantage, que les grands qu'il s'agissait de punir.

Glaber lui-même put constater, en 1033, les ravages d'une famine qui, partie d'Orient, atteignit « la tribu des Anglais » en passant par sa Bourgogne.

Cette fois encore les musulmans, mais aussi les juifs, sont accusés de mille maux. Un texte de l'époque raconte qu'un certain vendredi saint, Rome fut bouleversée par un tremblement de terre et un cyclone. Quelques bons esprits signalèrent alors qu'à la même heure, dans une synagogue, l'image du Christ avait été bafouée ; en punition, le bourreau décapita quelques juifs. La fumée noire des bûchers s'éleva dans diverses cités où l'on avait décidé de brûler hérétiques et sorciers : par exemple, en 1028 à Angoulême où quelques femmes furent accusées d'avoir provoqué la mort du comte Guillaume Taillefer ; il leur avait pardonné, mais son successeur les livra aux flammes après ses obsèques.

Enfin, Glaber lui-même reçut par trois fois la visite du diable : « Une espèce de nain horrible à voir. Il était, autant que j'en pus juger, de stature médiocre, avec un cou grêle, un visage émacié, des yeux très noirs, le front rugueux et crispé, les narines pincées, la bouche proéminente, les lèvres gonflées, le menton fuyant et très droit, une barbe de bouc, les oreilles velues et effilées, des cheveux hérissés, des dents de chien, le crâne en pointe, la poitrine enflée, le dos bossu, les fesses frémissantes, des vêtements sordides, échauffé par son effort, tout le corps penché en avant. »

Un type de portrait qui allait inspirer bien des sculpteurs de chapiteaux et des auteurs de fresques. Mais aussi *Le Diable boiteux*, de Lesage, au XVIIIᵉ siècle (voir p. 163).

L'Église, d'ailleurs, édifiait à cette époque de splendides monuments, ouvrait de nouveaux établissements d'enseignement. Au total, l'an mil n'avait pas été ce que l'on avait dit qu'il serait : le porche de la cathédrale d'Autun et le tympan de Vézelay témoignent d'un optimisme renaissant, d'une plus grande foi en l'Incarnation, d'une plus grande confiance dans les valeurs du monde.

Le pape, alors, comme ragaillardi, revendique la première place parmi les souverains auxquels il ne cesse de rappeler que, s'ils tiennent leur pouvoir de Dieu, il en est, lui, le représentant sur cette terre.

Cependant, il peut craindre, non sans quelque raison, la naissance et le développement d'importantes hérésies.

Cette crainte était, certes, quasiment permanente, et, nous l'avons vu, la hantise des Pères de l'Église. Saint Augustin avait même défini l'hérétique comme « celui qui, pour l'amour de quelque avantage temporel et surtout de sa gloire et de son pouvoir, ou bien invente, ou bien suit des opinions fausses et nouvelles[4] ». Une définition qui ne laissait aucune place à la réflexion personnelle de l'hérétique : il ne peut qu'être intéressé au pouvoir, à l'argent, à la gloire, ou se laisser tromper par quelque fauteur de troubles.

Dans la seconde moitié du Ier millénaire, cependant, on n'avait pas enregistré d'hérésies capitales.

Il n'en fut pas de même après l'an mil.

Tout au long des XIe et XIIe siècles, en effet, des fidèles, ici ou là, commencent à bouger. Plutôt pour dénoncer les richesses et les vices du clergé, comme le font les patarins (ce qui signifie « loqueteux ») de Milan, ou un certain Tanchelm qui séduit de nombreux fidèles à Anvers, Bruges et plus au nord, en leur commandant de ne pas payer les impôts ecclésiastiques ! Un succès facile, bien sûr... Mais il ne s'agit évidemment pas d'hérésies à proprement parler.

Les difficultés deviennent plus sérieuses quand le marchand lyonnais Pierre Valdès (ou Valdo) est touché par l'appel évangélique à la pauvreté totale. À la fin du XIIe siècle, il entame une vie de prédicateur itinérant, reprochant bien sûr à l'Église ses richesses et demandant à ses fidèles, appelés « vaudois », de ne retenir de la doctrine chrétienne que les enseignements de l'Écriture (qu'il fait traduire en français). On trouve là quelques prémices de la Réforme protestante.

Une autre dissidence d'importance précédera encore celle-ci.

Quelques années après l'appel de Pierre Valdès, en effet, au début du XIIIe siècle, apparaît une hérésie qui fera grand bruit et aura de lourdes conséquences, celle des cathares.

Elle a une longue pré-histoire, celle – entre autres – du manichéisme qui, au IIIe siècle, professait le dualisme, l'opposition déjà rencontrée entre le principe du Bien, un Dieu qui n'est que Bonté et Vérité, étranger au monde, et le Démiurge, un mauvais, lui, créateur du monde, parfois confondu avec le « Prince des Ténèbres ». Le manichéisme admettait cependant que des entités émanant du Dieu bon existent dans le monde ; son dualisme n'était pas tout à fait radical[5].

Un autre mouvement, du Xe siècle celui-ci, prêché par un pope bulgare nommé Bogomil, condamnait, au nom de l'Évangile, la propriété, le luxe, la « chair » (aliments gras, mariage, procréation des enfants). Cet ensemble de réalités diverses, auxquelles s'ajoutaient l'Église et ses institutions (les paysans étant souvent exploités par un clergé cupide et dissolu), était considéré comme l'œuvre de Satanaël, « fils aîné » de Dieu qui, par orgueil, voulut Le dépasser et fut chassé du Ciel ; le Père, cependant, lui abandonna le monde matériel.

Voilà donc une nouvelle image de Satan.

Que le catharisme, deux siècles plus tard environ, soit l'héritier de ce « bogomilisme » venu des Balkans, par l'Italie, ou d'Allemagne, de la région de Cologne, ou des deux, les historiens des religions en discuteront encore longtemps.

L'important est ailleurs. Il est d'ordre religieux, mais aussi politique et sociétal.

Côté religieux, les cathares ne partagent pas tous exactement les mêmes croyances. Certains professent un dualisme radical, pensent qu'il existe un Dieu du Mal créateur du monde, qui combat le bon Dieu à armes égales. Pour nombre d'autres, il existe une « racine du Mal » et celle-ci a vicié la Création[6]. Qui était cette « racine » ? Il n'y a pas unanimité sur ce point. Beaucoup croient en un « demi-être », quelqu'un qui existe et qui, en même temps, n'existe pas... Ce qui est assez loin de la représentation habituelle de Satan, surtout à l'époque.

Les cathares vont être violemment combattus. Et la « croisade » menée contre eux laissera de profondes traces. Parmi eux, les « parfaits » ou les « purs », comme ils se nomment, peu nombreux, vivent comme des ascètes ; ils méprisent le corps, la chair. Car la matière, c'est le Mal. Le bon Dieu, bien entendu, n'a pu s'incarner en un homme, Jésus : celui-ci n'est qu'un ange, envoyé par Dieu pour éclairer les hommes.

Les « parfaits », qui mènent une vie exemplaire, ont le pouvoir d'amener les autres au salut éternel : il leur suffit d'étendre sur eux les mains avant la mort. Ils ont donc beaucoup de succès, d'autant qu'ils utilisent le vocabulaire du clergé catholique et ses symboles, tout en condamnant les richesses de l'Église, la vie « scandaleuse » des prêtres et des moines, traités de « loups rapaces ». Des attaques qui les font juger d'autant plus dangereux.

L'Église, qui a pris coutume de demander l'aide des autorités civiles pour réprimer les hérésies, commence cette fois par organiser une tournée de prédications confiée aux moines cisterciens. Sans grand résultat. Surtout, le comte de Toulouse, Raymond VI, nombre de ses vassaux aussi, pas très riches et tentés par les biens de l'Église, favorisent ouvertement les cathares. En 1208, le pape Innocent III, grand théologien et juriste, en conflit avec nombre de souverains, prêche donc une croisade contre Raymond VI. Mais il sera dépassé par les initiatives des laïcs et de ses propres envoyés. Les seigneurs du Nord, en effet, conduits par Simon de Montfort, n'attendaient que cela pour se ruer sur le Sud et laminer au passage la belle civilisation d'oc. Raymond VI n'est pas non plus un tendre. C'est une lutte atroce, barbare. Si la célèbre formule « Tuez-les tous : Dieu reconnaîtra les siens » n'a sans doute pas été prononcée, elle traduit bien la violence de cette « croisade ». L'Église veut s'assurer le contrôle des âmes, ses alliés celui du sol[7]. Ils l'emportent. Le traité de Paris (1229) consacre l'annexion du Languedoc à la France. Les cathares, appelés aussi « albigeois », seront finalement écrasés lors de la prise de Montségur, dans le feu et le sang, en 1244. Mais le catharisme ne sera pas oublié pour autant.

Surtout, cette « croisade » contre les albigeois a officialisé une institution qui mènera la guerre contre Satan, et avec lui tous les suspects d'hérésie, de diabolisme, voire de désobéissance : l'Inquisition. C'est à Toulouse justement, en 1229, que la procédure de l'Inquisition fut fixée par un concile régional. Elle était confiée surtout aux évêques. Changement en 1232 : le pape Grégoire IX qui, assurent certains historiens, jugeait les tribunaux épiscopaux trop indulgents pour les cathares, en prit la responsabilité directe. Une triste histoire commençait, que nous allons bientôt retrouver. Mais une parenthèse – importante – s'impose.

X

Où il apparaît que le Moyen Âge n'est pas toujours ce que l'on croit

Bien des idées fausses, et des images tronquées, règnent encore à propos du Moyen Âge. Et de la place qu'y occupèrent Satan et ses sous-fifres.

Certes, on trouve dans la vision habituelle de cette époque de beaux et vaillants chevaliers disant leur amour – courtois – à de gentes dames. Des artistes et des poètes enchanteurs aussi. Des intellectuels de génie également parmi lesquels quelques grands théologiens. Et même des saints.

Mais, plus souvent, le Moyen Âge est habillé de sombres couleurs : brutale barbarie des féodaux ; exploitation de serfs crasseux, ignares et affamés ; massacres, épidémies, félonies multiples, et ainsi de suite. Bien entendu, sorciers et surtout sorcières au long nez, à la bouche édentée, unis au diable par d'infâmes pactes, courent forêts et chemins, se livrent avec Satan à d'étranges et souvent orgiaques fêtes rituelles, et subissent pour finir les foudres d'une implacable justice d'Église : l'Inquisition dont nous venons d'évoquer la naissance officielle.

La réalité, bien sûr, n'est pas aussi simple. Il faut d'abord préciser de quel Moyen Âge on parle. L'Histoire ne se décompose jamais en chapitres bien tranchés. Elle est faite de ruptures, mais aussi de lents engendrements et de longues traces. Si l'on peut s'accorder à dater la naissance du Moyen Âge – au VIᵉ siècle, après la chute de l'Empire romain d'Occident –, il est évident qu'entre ce commencement et ce que l'on appela Renaissance (XVᵉ siècle) le monde et les hommes ont beaucoup changé. L'un et les autres ont connu ombres et lumières. Successivement. Mais aussi dans le même temps.

Aucun siècle ne fut vraiment lumineux, aucun ne fut tout à fait noir. Exemple : la période que de grands historiens comme Jacques Le Goff appellent « le beau Moyen Âge ». Elle correspond, écrit ce dernier, « au grand essor de l'Occident entre le XIᵉ et le XIVᵉ siècle, et plus particulièrement pendant la sous-période 1150-1250 que symbolise le temps des grandes cathédrales gothiques[1] ». Ce qui est vrai. Mais c'est dans la même sous-période, nous venons de le voir, que le nord de la France déchire le sud, au nom de Dieu et du Bien.

Les cathédrales sont pourtant, à bien des égards, les symboles d'une ère nouvelle. Leur construction témoigne du développement de vraies villes. Jusque-là, beaucoup des régions de l'Europe occidentale avaient certes gardé de leur passé romain quelques cités où régnaient les évêques. Mais nombre d'entre elles avaient ensuite décliné.

La plupart des villes qui compteraient dans l'histoire de l'Europe sont nées vraiment aux alentours de l'an mil. Mais c'est au XIIᵉ siècle qu'elles franchissent une étape décisive, s'étalent, se hérissent de hauts bâtiments et, pour se défendre, se ceignent de grands murs et de profonds fossés.

Le Paris de 1200 est un vaste chantier. Le roi Philippe Auguste, sa cour et de nouveaux venus qu'on appellera bourgeois, embauchent à qui mieux mieux pour bâtir palais et halles, cathédrales bien sûr, résidences et petits commerces. Les rues et les ruelles sont pavées. Le tout est enfermé dans un long rempart hérissé de dizaines de tours[2]. Ce qui suppose résolus de multiples problèmes d'architecture, d'approvisionnement, de manutention, de mécanique et de levage[3].

Paris n'est pas un cas isolé : Chartres, Amiens, Reims, Bourges, lancent haut dans le ciel des flèches de pierre. Les bâtisseurs sont à l'œuvre à Madrid comme à Florence, à Rome comme à Cologne, dans une grande partie de l'Europe.

En trois siècles, au début de ce millénaire, la population de l'Europe occidentale double ou triple selon les régions (le record étant détenu par la France qui passe de 6 à 15 millions, l'Angleterre fermant la marche, évoluant de 1,5 à 3,2 millions d'habitants). La croissance démographique est due, notamment, à une forte diminution des grandes famines grâce au progrès agricole[4].

La vie sociale est bouleversée dans le même temps par l'apparition dans les villes de personnages d'un type nouveau, les bourgeois : des marchands et des financiers surtout. À la différence des paysans, ils ne voient plus la nécessité de se soumettre à l'ordre de la nature et à Dieu.

La ville, à l'origine, n'est pas le domaine de prédilection de Satan. En dépit de sa croissance, elle n'est guère très étendue encore. Paris, la plus grande cité fortifiée du royaume de France, occupe tout juste 250 hectares, Poitiers 180 et Toulouse 150. Moins que Gand (644) ou Cologne (401). En outre, les cathédrales gothiques n'accordent guère de place au diable.

Absent des catacombes et des bâtiments religieux des premiers siècles, il s'était beaucoup montré dans les églises romanes : adoptant une forme humaine ou animale, il avait pour première fonction d'effrayer. Il apparaissait en mangeur d'hommes, combatif comme à Autun, tortionnaire comme à Vézelay, où la luxure est dévorée par deux effroyables serpents, souvent velu et repoussant, portant cornes et queue. Cependant, à cette époque, note Jean Delumeau, « lui et ses acolytes sont parfois aussi ridicules ou amusants que terribles : à ce titre, ils deviennent progressivement familiers[5] ».

L'évolution se poursuit au XIIIᵉ siècle : les grands tympans gothiques rognent le domaine des démons, préfèrent représenter le Christ en majesté, le paradis et le bonheur des élus. L'enfer, ses supplices et ses diablotins, se voient relégués dans les coins.

Ainsi, à la cathédrale de Reims, qui se construit dans la première moitié du XIIIᵉ siècle, il faut bien observer le portail nord du transept pour trouver, tout en bas, une chaudière infernale où sont précipités les maudits. Satan lui-même « devient presque humain, simplement enlaidi, ricanant ou moqueur[6] ».

D'ailleurs, une bien belle adversaire, gracieuse et souriante, occupe désormais quelques portails importants, à Chartres comme à Paris ou à Senlis : Marie.

Quelques anges, en outre, sourient au fronton des cathédrales et sur les chapiteaux. Et leurs sourires inspirent poèmes, cantiques ou méditations. Désormais, on ne considère plus que le rire est un péché, alors que les règles de la vie monastique le condamnaient sans appel. C'est, disaient-elles, Satan qui l'inspire. Le grand Augustin voyait un signe évident du caractère monstrueux de Zarathoustra dans le fait qu'il avait, à sa naissance disait-on, ri au lieu de pleurer. Mais au XIIIᵉ siècle, les maîtres et les élèves de l'Université de Paris, au terme de longs débats, concluent que, s'il existe un mauvais rire, exprimant la dérision, la moquerie, il en est aussi un bon, qui exprime la joie des enfants de Dieu[7].

La cathédrale et l'Université conjuguant leurs efforts, Satan subit donc quelques revers en ville. Mais il n'est pas oublié.

D'abord, chez les moines : depuis l'époque où il tentait l'ermite Antoine, ils font partie de ses adversaires préférés. Il ne se décourage pas. L'abbé de Cluny, Pierre le Vénérable, relate ainsi dans un *Livre de miracles* qu'un jeune novice a vu, tout éveillé (mais après en avoir rêvé), un ours suspendu dans les airs qui le menaçait en grondant. Ses hurlements attirèrent une grande foule qui mit en fuite le fauve diabolique.

Quelques décennies plus tard, dans un monastère cistercien cette fois, en Thuringe, un autre moine nommé Henri fut surpris en songe par son voisin en train d'écouter un ours imposant qui lui chuchotait à l'oreille, les pattes posées sur sa poitrine. La suite ne se fit pas attendre : cet Henri dénonça ses vœux et devint jongleur : on raconte même que, déguisé en nonne, il s'introduisit dans un couvent de religieuses, en déshonora plusieurs et en engrossa quelques-unes.

Ces histoires ne surprenaient pas grand monde : Augustin et d'autres Pères de l'Église avaient déjà diabolisé l'ours. Dans le monde rural, en effet, Satan choisissait volontiers de prendre des apparences animales : le chat, le lion, le loup, le bouc, le crapaud gluant ; sans oublier les monstres – réels ou supposés – des fonds marins. Mais, du XIe au XIIIe siècle, l'animal le plus souvent considéré par les évêques comme représentant le diable ou un damné fut l'ours[8].

Dans les campagnes apparaissent aussi des « armées de morts » processionnant sous la direction de diables. Ainsi, le 1er janvier 1091 (le 1er de l'an était considéré comme une date privilégiée pour l'apparition des morts), un prêtre normand nommé Guachelme vit-il passer une armée terrifiante conduite par un géant qui le menaça d'une énorme massue ; des hommes et des femmes le suivaient en se lamentant ; deux « Éthiopiens » (ainsi appelait-on les Noirs) diaboliques portaient une poutre sur laquelle un démon torturait un misérable ; venaient ensuite une troupe de femmes à cheval également torturées, des clercs qui suppliaient que l'on priât pour eux, et enfin des chevaliers porteurs de noirs étendards. Le prêtre voulut arrêter l'un des chevaux mais le harnais lui brûla la main, et le cavalier l'aurait tué si l'un de ses compagnons ne l'avait arrêté : le propre frère du prêtre, mort peu avant, qui lui demanda de prier afin de lui épargner de multiples épreuves[9].

L'Église, à la campagne, renforce en ces siècles son emprise, mais les superstitions sont toujours aussi vivaces. On se rend à la messe chaque dimanche, mais on y dérobe à l'occasion des hosties pour les enfouir dans les champs afin de fertiliser ceux-ci. On implore des séries de saints protecteurs ayant chacun leur spécialité, mais on punit de très diverses manières leurs images et leurs statues s'ils ne remplissent pas leurs devoirs. Enfin, des morceaux du grand cierge bénit solennellement à Pâques sont découpés pour écarter méchants et malheurs.

Les esprits, bons ou mauvais, sont donc toujours à l'ouvrage. Satan n'a pas désarmé. D'autant que les mouvements de la société s'accompagnent toujours d'un certain désordre. Et le désordre, nous le savons, il aime ça. D'ailleurs, dans les universités, toujours plus nombreuses, maîtres et élèves s'attachent à établir la géographie de son royaume et identifier les chemins qui y mènent.

XI

Une faille dans le royaume diabolique

Dans l'histoire du diable, une vraie révolution se produit en effet au XIIᵉ siècle : on établit une géographie des lieux où il opère, où il traite les morts, les enferme et les punit en suivant le jugement de Dieu.

Rien n'était simple à cet égard dans le monde ancien. La plupart, on l'a vu, imaginaient les esprits des morts errant dans de sombres lieux non identifiés. Les plus optimistes, les Égyptiens peut-être, imaginaient que, après avoir rencontré Osiris, les morts entraient dans une sorte de paradis solaire, d'abord réservé aux seuls monarques, puis démocratiquement ouvert à tous. Si bien que, comme l'a joliment écrit André Malraux, nous tendons à faire de leurs tombeaux des « maisons de campagne de l'au-delà[1] ».

Les prophètes et les auteurs des Écritures de l'Ancien Testament, souvent occupés à mettre en garde le peuple d'Israël jugé par eux indocile, ne se privèrent pas, en revanche, d'annoncer les pires châtiments. Ainsi Isaïe, au VIIIᵉ siècle avant J.-C., montre-t-il Yahvé, « dressé [...] debout pour juger les peuples » (Is III, 11). Il s'en prenait notamment aux filles de Sion qui « vont le cou tendu et les yeux provocants » ; Yahvé, dit Isaïe, les dépouillera de leurs bijoux, « alors, au lieu de baume ce sera la pourriture, au lieu de ceinture une corde, au lieu de coiffure la tête rase, au lieu d'une robe d'apparat un pagne de grosse toile, et la marque au fer rouge au lieu de beauté » (Is III, 16-24).

Les prédicateurs du Moyen Âge utilisent ces textes, d'autres aussi tirés du Livre de la Sagesse et de l'Ecclésiaste... qui ne font pas partie du canon des Hébreux, et qui n'évoquent pas une peine infligée aux défunts dans un lieu infernal. Ils trouvent cependant dans les Évangiles quelques textes évoquant le jugement après la mort. Notamment chez Matthieu (XXV, 1-46) un long discours de Jésus évoquant le jugement dernier où l'on sépare les brebis des boucs destinés à « une peine éternelle », les ténèbres où « seront les pleurs et les grincements de dents », où le Seigneur s'écriera : « Allez loin de moi, maudits, dans le feu éternel qui a été préparé pour le diable et ses anges. »

Cette phrase attribuée à Jésus par Matthieu mérite attention, au moins pour quatre raisons.

D'abord parce qu'elle fait de Satan le chef des anges déchus : cette thèse, déjà propagée par le Livre d'Henoch et quelques autres, est donc confirmée par cet Évangile, le plus inspiré, il est vrai, par la culture juive du Ier siècle après J.-C. Ce qu'il faut fortement souligner.

Jésus évoque dans cette phrase le feu éternel. Or, dans la Bible des Hébreux, le rôle du feu est double. Positif, il est la lumière qui éclaire la route (Ex XIII, 21), le signe de la présence brûlante de Dieu (Gn XV, 17), ou sa puissance purificatrice : ainsi les lèvres d'Isaïe sont-elles brûlées par un charbon ardent pour qu'il soit un fidèle messager de Yahvé (Is VI, 5-7). Négatif en revanche, le feu symbolise la colère de Dieu, les punitions qu'il peut infliger.

Autre point : toujours selon saint Matthieu, Jésus indique qu'en enfer les damnés souffriront en compagnie du diable et de ses démons. Ceux-ci les tourmenteront bien sûr, puisque telle est leur fonction. Satan y est donc considéré comme l'instrument de Dieu, l'exécuteur de ses arrêts.

Enfin, quatrième motif d'intérêt pour cette phrase : elle indique que le jugement interviendra à la fin des temps. Or, nous allons le voir, la doctrine de l'Église va évoluer sur ce point. Mais pas de sitôt.

Dans les premiers siècles, les Pères de l'Église et les auteurs d'apocryphes en rajoutent quelque peu sur les souffrances des damnés. « Le supplice de l'enfer est horrible », écrit saint Jean Chrysostome, qui ajoute toutefois, comme saint Augustin, que la douleur d'être séparé de Dieu est un aussi grand châtiment[2]. Un apocryphe du Ve siècle, très répandu et connu sous le nom d'« Évangile de Nicodème[3] », qui décrit le passage de Jésus aux enfers[4] (entre sa mort et sa résurrection), semble séparer ceux-ci en deux parties : dans l'une demeurent Adam, les patriarches et les prophètes ; dans l'autre, le reste de l'humanité gémit et pleure, en proie à de multiples et horribles supplices, sous le gouvernement de Satan. Mais le Christ s'empare du diable et le jette au feu : « À la place d'Adam et de ses enfants qui sont mes justes », dit-il. Tous les morts sont sauvés, même « les pécheurs, les impies et les injustes du monde entier ». Ce que pensait aussi Origène, Père de l'Église qui fut, notamment pour cela, condamné...

Par sa descente aux enfers, le Christ achève sa mission : il est « le sauveur du genre humain tout entier », dit cet apocryphe méconnu. Méconnu notamment parce qu'il fait exception : pour les évangélistes, les apôtres, la quasi-totalité des Pères de l'Église, la séparation entre les élus et les maudits devait, répétons-le, intervenir à la fin des temps. Ils pensaient tous que celle-ci était proche. Mais quelques-uns s'interrogeaient : où résidaient les âmes en attendant ? Saint Augustin répondit qu'elles étaient rassemblées dans de « secrets dépôts », guère situés donc et plutôt moroses.

Or, sur ce point capital, tout change vers le milieu du XIIe siècle : on considère que l'âme n'attend pas le jugement dernier, qu'il existe un jugement aussitôt après la mort, décidant si elle doit aller vers l'enfer ou le paradis. Ou ailleurs.

L'idée d'un « ailleurs » entre l'enfer et le paradis avait été pressentie par saint Augustin. L'évêque d'Hippone, dont l'œuvre est aussi complexe que fondamentale, avait pourtant écrit qu'il ne fallait pas prier « pour les défunts sans foi ni loi même s'il s'agit d'êtres humains », tout comme on ne priait pas pour le diable[5]. Mais cette phrase même laissait entendre que l'on peut prier pour d'autres morts, des pécheurs qui ne sont pas, eux, « sans foi ni loi ». Et qui ne sont donc pas définitivement condamnés.

Dans ses *Confessions* (IX, 13), Augustin écrivit d'ailleurs une prière pour sa mère Monique, un très beau texte dans lequel il demandait à Dieu de lui pardonner ses fautes : elle a péché, pensait-il, tout être humain étant pécheur ; mais elle méritait pourtant d'être sauvée. Il finit par distinguer entre quatre catégories de pécheurs et deux feux : un feu éternel destiné aux damnés pour lesquels toute prière, messe, etc., est inutile, et un feu « purgatoire ».

Celui-ci ne l'intéressait pas tellement. Mais l'idée d'un enfer temporaire allait faire son chemin. Et s'imposer au XIIe siècle quand on considéra que les âmes des morts n'attendraient pas le jugement dernier pour savoir où elles devaient être dirigées. D'autres circonstances et d'autres idées ont favorisé la naissance de ce dogme au concile de Lyon (XIIIe siècle) : entre autres la volonté de donner un espoir de salut à certains groupes sociaux, certains professionnels, dont l'activité était jugée suspecte par l'Église. L'historien Jacques Le Goff, auteur d'une œuvre capitale sur la naissance du purgatoire[6], cite en exemple les usuriers. L'existence d'un purgatoire allait favoriser aussi – ce qui est loin d'être négligeable – des pratiques liées au souci de l'avenir des morts : messes, prières, etc.

Depuis que cette existence est reconnue, l'au-delà est donc divisé en cinq lieux : le paradis, le purgatoire, l'enfer et deux limbes.

L'enfer est le plus souvent décrit : c'est le royaume de Satan, où conduisent les péchés capitaux. Lesquels sont sept mais furent d'abord huit dans une liste dressée au IVe siècle par un moine nommé Évagre le Pontique (originaire du Pont, en Asie Mineure) : la vanité (qui serait bientôt confondue avec l'orgueil), l'envie, la colère (donc la violence), le désespoir (ou acédie, paresse morale, un péché contre l'esprit) qui allait disparaître de la liste, mais aussi l'oisiveté, mère de tous les vices, la cupidité, la gloutonnerie (considérée comme faisant tomber l'homme du monde spirituel au monde matériel ; saint Paul avait déjà condamné (Ph III, 18-19) ceux qui ont leur « ventre pour dieu », qui se conduisent donc « en ennemis de la croix du Christ »), et enfin la luxure[7].

Au long des temps, un certain ordre, d'importance décroissante, leur fut donné. C'est ainsi que la cupidité (appelée avarice) arriva au deuxième rang (après l'orgueil) quand, vers les XIIe et XIIIe siècles, les progrès de l'économie occidentale attribuèrent à l'argent une importance majeure. Certains considéraient même la cupidité comme le pire des péchés. La luxure, bien entendu, était indétrônable à la troisième place. Mais elle fut suivie par l'envie : si l'orgueil était le péché des grands, l'envie était celui des petits, qui les poussait parfois à la révolte.

La liste de ces péchés capitaux, quelque peu oubliée aujourd'hui, a servi longtemps aux confesseurs, leur donnant, par le pardon qu'ils avaient, la capacité d'accorder un droit de regard sur la vie des fidèles.

Elle a été utilisée aussi par Dante qui, un peu plus d'un siècle après la naissance officielle du purgatoire, fit la gloire de celui-ci. Il le décrit dans sa *Divine Comédie*[8] comme une sorte de spirale : sept cercles étagés dont le diamètre diminue à mesure que l'on approche du sommet. Des âmes y purgent les péchés capitaux avant d'entrer dans le paradis.

Le purgatoire de Dante commence au niveau de la Terre : le poète et son guide, Virgile, sont sortis de l'enfer pour « revoir les étoiles ». L'enfer, en effet, est sous terre : il est composé de neuf cercles, chaque fois plus étroits également, qui mènent jusqu'à Satan. Celui-ci a trois faces, donc trois bouches, qui broient Judas et les Romains Brutus et Cassius, accusés d'avoir trahi César. Dans les premiers cercles, qui sont peu décrits, les coupables de quatre péchés capitaux (luxure, gloutonnerie, avarice et colère) endurent mille souffrances en compagnie des hérétiques.

Les péchés capitaux inspireront aux XIVe et XVe siècles de nombreuses représentations de l'enfer, notamment en Italie. Apparemment, les orgueilleux sont les plus visés : au centre du tableau, comme à San Petroni de Bologne, ils sont écrasés entre les pattes de Satan. Tout en haut du tableau, à Bologne mais aussi à Pise, sont rassemblés les hommes considérés comme extérieurs à l'Église, hérétiques en tous genres et... Mahomet.

Les représentations de l'enfer sont multiples et mériteraient plusieurs livres pour être soigneusement analysées. Mais elles ont deux caractères communs. D'abord, elles sont toutes terrifiantes. Il s'agit, en effet, d'utiliser la peur de la damnation à laquelle l'Église, seule, permet d'échapper par les sacrements et son enseignement. Ensuite, les femmes y sont souvent plus nombreuses que les hommes, comme au tympan de la cathédrale d'Autun ou bien, en Italie, sur une fresque de Santa Maria Maggiore, à Tuscania, où ce sont seulement des condamnées (pas un seul homme) que des diables armés de fourches poussent dans la gueule d'un monstre effrayant.

Exception remarquable : le grand panneau du *Jugement dernier* (XIIe siècle) conservé au Vatican montre la sollicitude de quatre femmes – la donatrice (une abbesse), la Vierge et deux saintes – en faveur des autres, beaucoup plus nombreuses que les hommes il est vrai. Quant à la très célèbre description de l'enfer par Dante, les esprits malins font observer qu'il y a placé trente-deux Florentins (sur soixante-dix-neuf personnages), tandis que l'on n'en trouve que trois au purgatoire : pour lui, Florence était devenue depuis trois générations très coupable d'orgueil, d'envie et de cupidité, trois péchés symbolisés par trois bêtes, le lynx, le lion et la louve, lesquels, dès le chant premier, l'empêchent de gravir la colline du salut[9].

Dante n'était certes pas le premier à imaginer l'enfer. D'autres, des moines notamment, disaient l'avoir vu en songe.

On retiendra la description qu'en fait un certain Benedit dont on sait peu de chose mais qui écrivit l'odyssée de Brendan, moine irlandais parti évangéliser les terres inconnues (l'Irlande, depuis l'arrivée de Patrick, venu du monastère de l'île de Lérins, était devenue un pays de moines ; les monastères avaient pris des dimensions de villages ; leurs occupants multipliaient les exploits d'ascétisme, les records de mortification ; ils se sentaient à l'étroit dans leur île, avaient la passion de l'apostolat, frétaient de petits navires, et vogue la galère…, partaient vers l'inconnu). Les vents poussent donc Brendan jusqu'à une île minuscule où il rencontre Judas, nu, déchiré, harcelé par les eaux. Ce n'est pour lui, cependant, qu'un demi-mal : un répit accordé le dimanche aux damnés. La semaine, c'est une autre affaire, que l'ancien apôtre décrit lui-même. Supplice de la roue le lundi. Embrochement et flagellations le mardi. Séjour dans la poix bouillante le mercredi, accompagné d'un embrochement sur un pieu rougi. Froid glacial le jeudi. Écorchement le vendredi. Et, le samedi, mise au cachot où la puanteur est terrifiante, quasi mortelle[10].

Cette légende fut tellement répandue, sous diverses formes, à travers toute l'Europe, que Dante, peut-être, en eut connaissance (d'ailleurs, il place Judas, on l'a vu, au cœur de son enfer). Quoi qu'il en soit, ce Florentin servit de transmetteur : il donna comme un coup d'envoi à une multiplication de textes (de qualité très inférieure au sien) et d'images.

Au XVIIIe siècle encore, le jésuite Claude de la Colombière, orateur talentueux et ascétique, décrivait dans un sermon le sort des damnés : « Ces malheureux savent qu'après avoir brûlé cent ans, il leur en faudra brûler encore cent et que, ce second siècle fini, ils en doivent commencer un troisième et puis encore un quatrième, et qu'après 10 000, 100 000, 100 000 millions d'années recommencées cent mille millions de fois, le feu sera aussi vif, le corps et l'âme aussi disposés à souffrir, Dieu aussi irrité, aussi irréconciliable qu'au commencement. Imaginez un temps aussi long qu'il vous plaira ; assemblez tous les nombres que votre esprit est capable d'inventer ; multipliez-les autant de fois que vous voudrez ; remplissez de chiffres, ajoutez les uns aux autres, autant de volumes qu'il en faudrait pour remplir tout l'espace qui est entre le ciel et la terre ; un damné voit qu'il lui faudra brûler durant tout ce temps-là ; il porte sa vue encore plus loin et découvre, au-delà de cette durée immense, une éternité de peines, aussi longue, aussi entière que si elle n'avait été précédée d'aucun temps[11]. »

Or – et voici l'important – l'Église, elle, s'est toujours refusée à inclure l'enfer dans son Credo. Elle en est toujours restée au texte adopté en 325 par le concile de Nicée, qui n'en fait pas mention (le *Symbole des Apôtres*, qui est antérieur, dit bien que Jésus « est descendu aux enfers », après la crucifixion, mais il s'agit de celui qu'imaginaient les Juifs de ce temps, très différent). Plusieurs Pères de l'Église, en effet, considéraient, comme Origène, que l'idée d'une damnation éternelle était peu compatible avec l'amour absolu de Dieu pour l'homme et sa volonté d'un salut universel affirmée, entre autres, par saint Paul : pour lui, Dieu « veut que tous les hommes soient sauvés » (I Tm, II, 4).

Sauvés, c'est-à-dire réunis au paradis. Les représentations de celui-ci, au Moyen Âge, sont plus rares. Il tient chez Dante (le poète y pénètre seul, alors que Virgile l'avait accompagné jusque-là) moins de place que l'enfer. Cette marche à travers les Cieux, où tout est lumière et musique, a moins de force. Le poète y rencontre les âmes élues mais la vie surnaturelle – fût-elle « un merveilleux printemps » – ne se décrit pas avec des réalités empruntées à la Terre !

D'autres s'y sont essayés, décrivant le plus souvent le paradis comme un jardin rappelant le lieu où furent créés Adam et Ève. Ainsi, la boucle est bouclée : l'histoire de l'humanité va d'un jardin à un jardin : le mot paradis désigne d'ailleurs un lieu planté d'arbres. Mais il arrive aussi qu'on le représente, en souvenir de l'Apocalypse, comme la Jérusalem céleste, donc une cité aux murs de pierres précieuses, ou comme la réunion des élus dans le sein d'Abraham, « père des croyants », ou enfin comme une cour rassemblée autour de Dieu, souvent accompagné du Christ et de Marie.

Satan et ses sous-ordres n'y trouvent, bien entendu, aucune place, sauf parfois en de sombres souterrains.

Le latin *infernus*, il est vrai, désigne « ce qui est en dessous ». Le père Pierre Coton, un jésuite confesseur d'Henri IV, n'hésitera pas à situer le royaume de Satan au centre de la Terre, à 1 760 lieues de profondeur, soit 7 000 kilomètres environ, un calcul qui agrandit beaucoup notre planète.

Mais on ne saurait achever cette géographie de l'au-delà sans signaler l'existence, qui fut éphémère, de deux autres lieux : les limbes (du latin *limbus*, qui signifie « bord » : bordures de l'enfer).

Le premier, le limbe des pères, accueillait les hommes et les femmes qui méritaient le paradis mais ne pouvaient y accéder avant la venue du Christ. Il ne pouvait que se vider après celle-ci.

L'autre a survécu jusqu'au siècle dernier : c'est le limbe des enfants. Trouvaient abri en ce lieu les âmes des bébés trop jeunes pour avoir pu pécher mais qui n'avaient pas encore reçu le baptême, sacrement du salut. Dans les premiers siècles après J.-C., ils étaient tout simplement envoyés en enfer[12]. Mais l'Église dut céder à la pression de la société qui jugeait trop injuste la condamnation éternelle de ces innocents. Le limbe des enfants fut donc imaginé, où ils étaient quand même privés de l'essentiel : l'union à Dieu. Ce que soulignèrent notamment Abélard puis le pape Innocent III, celui-ci précisant en outre que ces bébés ne subissaient pas l'épreuve du « feu matériel »…

Le *Catéchisme de l'Église catholique* publié à la fin du siècle dernier ne fait plus mention des limbes, ces lieux neutres.

Reste que, au XIIIe siècle, les domaines du Bien et du Mal sont enfin exactement délimités, les possibilités d'y entrer ou d'y être jeté sont définies, les voies de recours (le purgatoire) aussi. Celles-ci donnent à l'Église davantage de pouvoir contre Satan. Mais renforcent du même coup l'image, l'importance de celui-ci.

XII

L'Inquisition

L'histoire de l'Inquisition passionne. Pour de multiples raisons où se mêlent la fascination du Mal, l'attrait de l'irrationnel et du scandale, l'horreur des bûchers et de la torture, les récits de débordements notamment sexuels, la volonté de noircir l'Église et les clercs, la révélation – à travers violences et injustices – du Mal qui gît au cœur de l'homme. Même et surtout quand il prétend servir le Bien.

Autant cette histoire passionne, autant elle est truffée d'erreurs, souvent grossières, en dépit des travaux des spécialistes. Ainsi l'assimile-t-on souvent à la seule chasse aux sorcières. Ainsi la situe-t-on au cœur du Moyen Âge, alors que ses plus grands excès datent du XVIe siècle, voire du début du XVIIe.

Ses racines sont lointaines, anciennes.

Saint Paul déjà, puis Tertullien et quelques autres – nous l'avons vu – considéraient comme inspirés par quelque diable les hommes et les femmes dont les pensées, les croyances et les pratiques s'écartaient peu ou prou de celles de la communauté chrétienne. Or, le phénomène est fréquent quand le pouvoir change de main : les persécutés de la veille deviennent les persécuteurs du lendemain. Ce ne fut certes pas le cas dans l'Empire romain après la conversion de Constantin au IVe siècle : les chrétiens ne demandèrent pas que l'on jette les païens aux lions ou aux cachots. Quand même, dès le milieu de ce siècle-là, des évêques quêtèrent l'appui des autorités impériales pour assurer l'unité de l'Église contre divers dissidents. Ce qui n'alla pas très loin à l'origine : le successeur de Constantin, Constance II, n'était pas à leur dévotion. Il penchait plutôt vers l'hérésie arienne (qui ne croyait pas, notamment, en l'Incarnation) et contraignit même à l'exil, pour cette raison, l'évêque de Poitiers, saint Hilaire, qui la combattait.

Un *modus vivendi* finit quand même par s'établir avec les empereurs et les rois.

L'Église refusait de verser le sang de ses adversaires. Mais elle laissait aux autorités civiles le soin, voire le devoir, de le faire. L'hérésie devint un crime de lèse-majesté : ceux qui s'en rendaient coupables pouvaient être privés de leurs biens, être exilés, ou condamnés à mort. Par le feu.

L'application de ces règles édictées aux ve et vi^e siècles fut variable. Mais les « barbares », dès qu'ils furent convertis au christianisme, y ajoutèrent les leurs, qui n'étaient guère plus douces. Tout le matériel juridique sur lequel s'appuierait l'Inquisition s'amassa ainsi. Il permit ensuite à l'Église d'assurer que ce n'était pas elle mais le pouvoir civil qui était responsable de tant de méfaits et de victimes.

Il est vrai qu'à la fin du xe siècle, elle joue aussi un rôle pacificateur. Quand le pouvoir royal se défait, laissant le champ libre à des seigneurs combatifs et désireux d'agrandir leurs domaines, plusieurs évêques, comme celui de Bordeaux, Gombaud, prêchent la « paix de Dieu », proposant parfois aux chevaliers un « serment de paix » par lequel ceux-ci s'interdisent de s'attaquer aux clercs et à leurs biens, évidemment, mais aussi à ceux des paysans.

Plus tard, d'autres instaureront la « trêve de Dieu », l'interdiction des combats depuis le jeudi jusqu'au dimanche, chaque semaine : le jeudi, jour de l'Ascension du Christ ; le vendredi, jour de sa Passion ; le samedi, « par respect pour sa sépulture », et le dimanche, « jour du Seigneur ». Une règle dont l'application fut variable, surtout quand s'ajoutèrent aux souverains et aux seigneurs désireux d'étendre leurs terres les « grandes compagnies », bandes de mercenaires qui ne rêvaient que vols et viols, rapines et tueries.

Il ne faut pas sous-estimer cet effort des autorités ecclésiastiques. L'historien Robert Delort a même pu écrire : « Le pape pouvait penser que la croisade, mobilisant contre les infidèles les forces guerrières d'une chrétienté dont il était le père spirituel, contribuerait encore mieux que les trêves de Dieu ou paix de Dieu à pacifier les campagnes occidentales[1]. » En somme, il s'agissait (entre autres objectifs) d'exporter vers l'Orient les guerriers, leurs conflits et leurs appétits de combats.

Les croisades, justement, le montrent : l'Église est alors capable de mobiliser rois, seigneurs et foules. Mais elle craint toujours le poison de l'hérésie. Non sans raisons : les succès des cathares et des vaudois, entre autres, en sont le signe. D'ailleurs, ce que les clercs appellent « hérésie » n'a parfois aucun rapport avec le dogme, la théologie, la doctrine : il s'agit plutôt, nous l'avons déjà vu, de révoltes contre leurs mœurs – le concubinage de nombre de prêtres et de moines, l'appropriation de biens terrestres, la vente de sacrements. Des archevêques, à cette époque, n'ordonnent les évêques que contre remise de fortes sommes d'argent. Les règles monastiques, souvent transgressées, ont été, elles, remises en vigueur au Xe siècle par Odon, puis Odilon de Cluny, mais leur réforme, exemplaire, n'a pas servi partout de modèle.

L'Église se sent donc doublement contestée. Par des croyants qui la jugent infidèle ou s'écartent de ses dogmes. Et par l'évolution de la société.

Le changement provoque l'incertitude, et par conséquent la peur. L'Église, devenue le pilier de ce monde, l'Église qui pouvait garantir ou empêcher la survie après la mort, qui s'appuyait sur rois et empereurs mais aussi les faisait et les défaisait, qui dictait la loi morale même si certains clercs étaient les premiers à s'en affranchir, qui s'était, depuis le IVe siècle, transformée aussi en puissance économique, est évidemment la première à ressentir les mouvements de la société. Et à les craindre.

Or, dans le but premier de combattre les hérésies, elle s'est construit de manière empirique, nous l'avons vu, un instrument, l'Inquisition, qui lui permettra, croit-elle, d'exorciser la peur. Et de combattre tous ses opposants.

Le peuple, parfois, a précédé les prélats dans la répression. Ainsi, à Soissons, en 1114, l'évêque étant aux prises avec un groupe d'hérétiques dont il ne sait trop que faire, la population s'en empare et brûle ces pauvres gens aux portes de la ville. De tels faits ne sont pas isolés.

L'autorité ecclésiastique ne s'en plaint pas toujours. En témoigne cette histoire du XIIe siècle, celle d'un concile tenu à Reims, en 1157, qui dénonce les tisserands comme les principaux agents de la diffusion de l'hérésie, car celle-ci suit les routes qu'empruntent les marchands en Flandre et en Champagne. Aux yeux des évêques, donc, il s'agit d'une « secte très impure aux apparences de religion, capable de corrompre les âmes simples et confiantes, propagée par de très abjects tisserands qui voyagent beaucoup sous des noms d'emprunt, en compagnie de femmes percluses de vices ». Or – et voici qui est significatif –, les évêques réunis à Reims laissent à la population toute licence de combattre les hérétiques : « Quiconque en découvrirait [...] en quelque lieu que ce soit, peut s'en emparer librement[2]. »

Ce qui était permettre le pire. Après la croisade contre les cathares, le pape Grégoire IX a organisé la recherche des hérétiques sous son contrôle et sa responsabilité. Il a confié cette tâche aux dominicains, secondés, cinq ans plus tard, en 1237, par les franciscains, les premiers ayant reçu pour mission essentielle la prédication (privilège réservé jusqu'alors presque exclusivement aux évêques), les seconds devant également prêcher mais aussi vivre de leur travail et d'aumônes.

Ces religieux dirigeront des tribunaux d'exception appelés « Inquisitio haereticae pravitatis » : recherche de la perversité hérétique.

Il n'est pas nécessaire qu'une plainte soit déposée par quiconque pour que lesdits tribunaux se mettent à l'œuvre. D'ordinaire, l'inquisiteur, qui est itinérant, commence, à son arrivée dans un bourg ou une ville, par une prédication générale à laquelle est convoquée toute la population. Il lui laisse ensuite un « temps de grâce » – de quelques jours à quatre semaines – pendant lequel les hérétiques peuvent se repentir, et les autres les dénoncer.

L'inquisiteur est accompagné d'assesseurs, des juristes indispensables au bon fonctionnement de la procédure. Mais, à la fois juge et policier, il mène l'enquête dès son arrivée avec l'aide d'auxiliaires secrets, les *exploratores*, en général des hérétiques repentis. Ceux-ci se montrent d'autant plus zélés qu'ils recherchent le pardon. Les délateurs sont également bienvenus et reçoivent une prime. Tous les témoignages sont acceptés, même si un seul suffit à ouvrir le procès. Le notaire les enregistre consciencieusement. Mais l'accusé les ignore ; de la même manière, on lui cache le nom du ou des témoins.

Ce que cherche surtout l'inquisiteur, c'est l'aveu, preuve essentielle de la culpabilité.

Une procédure qui entraînera les pires excès mais qui a le mérite de remplacer l'ordalie, épreuve par laquelle l'accusé, soumis au feu ou à la noyade pendant quelque temps, était déclaré innocent s'il s'en sortait indemne ; dans le procès inquisitorial, on préfère des preuves « rationnelles » mais – honteusement – obtenues par tous les moyens.

On commence par un long interrogatoire : les manuels destinés à aider les inquisiteurs détaillent longuement les astuces permettant de déjouer l'habileté des accusés. Et si ceux-ci s'obstinent à nier, ils peuvent être torturés. Ainsi en a décidé, en 1252, par la constitution « Ad extirpenda », le pape Innocent IV[3], Génois considéré comme un grand intellectuel et un excellent juriste... Les témoins aussi peuvent être torturés. Mais non les enfants, les vieillards et les femmes enceintes.

En principe seulement. Car les « enfants sorciers » peuvent être, dans certains cas, mis à mort. C'est ce que l'on peut lire dans l'*Instruction pour un juge en fait de sorcellerie*, texte en soixante et onze articles rédigé par Henry Boguet, « Grand juge de la Terre de Saint-Claude en Comté de Bourgogne », datant de la fin du XVIe siècle. Il admet dans son article 63 l'exécution de l'enfant sorcier, même non pubère, « si l'on reconnaît qu'il y a de la malice en lui ». Il donne notamment pour raison l'atrocité du crime, laquelle « est cause que l'on transgresse les règles ordinaires du droit[4] »... Mais ses longues explications sur ce sujet montrent qu'il ressent le besoin de répondre aux objections d'autres juges ou démonologues.

À l'origine, il était prévu que les clercs ne pouvaient pas pratiquer eux-mêmes la torture et autres sévices. Mais très vite (en 1261), pour simplifier les choses, le pape Urbain IV, un Français plutôt autoritaire, autorisa les inquisiteurs italiens à procéder eux-mêmes.

Les supplices pratiqués étaient le fouet, le chevalet (distorsion des membres par un serrage progressif des cordes), l'estrapade (dislocation du corps que l'on projette violemment du haut en bas) et l'ingurgitation forcée de liquide. Un médecin et un notaire assistaient à ces interrogatoires.

La résistance absolue de l'accusé pouvait être interprétée comme un jugement de Dieu en sa faveur. Mais, afin d'en venir à bout, on renouvelait la torture : en principe, on ne pouvait pourtant la pratiquer qu'une seule fois ; en fait, il était possible de recommencer en disant simplement qu'elle était « continuée ». En principe encore, l'aveu sous la torture devait être confirmé ensuite librement... mais celui qui s'y refusait pouvait craindre pis encore. De toute manière, personne ne lui venait en aide. Il n'avait pas droit à un avocat : qui prêtait son concours à un accusé d'hérésie était supposé lui-même hérétique.

Enfin, toute personne jugée coupable devait désigner des complices.

Les peines encourues étaient graduées. Certaines jugées « seulement » infamantes (port de croix de tissu cousues sur les vêtements...) ou « spirituelles » (jeûne, prière, pèlerinage, flagellation). D'autres étaient financières : amendes dont le produit devait être affecté à des œuvres charitables ou d'utilité publique, financement de construction d'églises, d'hospices, de ponts. On pouvait aussi, moyennant finance, obtenir une commutation de peine. Enfin, l'inquisiteur jouissait évidemment du droit de gracier, à condition que cette décision fût utile pour la foi et que l'inquisiteur ne fût pas mû par la recherche de biens matériels.

La prison fut le type de sentence le plus répandu. L'inquisiteur Bernard Gui, qui exerça en Languedoc de 1308 à 1322, a prononcé 300 peines de prison sur 636 condamnations diverses. Les parjures ou les relaps étaient punis de la prison à vie, soit dans le « Mur large », où ils demeuraient libres de leurs mouvements, soit dans le « Mur étroit », où, enchaînés, ils croupissaient dans la saleté, au milieu des rats et de la vermine[5].

La peine de mort, enfin, frappait les irréductibles, ceux qui n'avaient ni avoué ni abjuré, ou qui s'étaient rétractés. En principe, l'Église les abandonnait au « bras séculier », autrement dit aux autorités civiles.

Retenons l'expression « en principe », car il a existé des exceptions. Parfois spectaculaires.

Voici par exemple l'histoire de Robert le Bougre – ce qui signifiait « le Bulgare », peut-être pour évoquer des racines orientales du catharisme. Il était en effet cathare, il a tout avoué, il est revenu dans le giron de l'Église catholique et il est même devenu dominicain. Un féroce. Envoyé en mission dans le Nord (Cambrai, Douai, les environs de Lille), il condamne au feu une cinquantaine de personnes en 1236. Trois ans plus tard, en Champagne, précisément à Mont-Aimé, il fait brûler cent quatre-vingt-trois hérétiques.

Il était alors fermement appuyé par le roi Louis IX, Saint Louis. Partisan d'une vraie justice, celui-ci avait horreur de l'impureté, considérait toute dissidence comme une véritable maladie contagieuse, et prenait conseil d'experts : les hérétiques convertis, comme Robert le Bougre, lui semblaient donc particulièrement fiables. S'il se mit au service de l'Inquisition en exécutant ses jugements, il chercha aussi à purifier son royaume des hérétiques en les expulsant[6].

Il semble bien que Robert le Bougre participa lui-même parfois à l'exécution des peines. En témoigne une lettre du pape Grégoire IX à l'archevêque de Sens qui avait dû s'en étonner, pour ne pas dire plus.

Grégoire IX rappelle d'abord un épisode de la Bible, qui raconte la marche du peuple d'Israël, de retour d'Égypte, vers la Terre promise. Ce peuple traverse la terre des Moabites, un peu cousins des Hébreux mais souvent en conflit avec eux. D'ailleurs, ces Moabites ont leurs propres dieux et les Hébreux se laissent tenter : non contents de se prosterner devant ceux-ci, ils se livrent à « la débauche avec les filles de Moab ». Et voici qu'un fils d'Israël amène dans une réunion de sa communauté une Madianite (le récit mêle les Madianites et les Moabites qui étaient distincts, mais alliés), « et cela sous les yeux de Moïse ».

Cette Madianite n'est pas n'importe qu : une prêtresse vivant dans une tente à usage religie x où elle se livre soit à la prostitution sacrée, soit à la divination. Évidemment, son arrivée fait scandale. Alo , un prêtre juif nommé Pinhas prend une lance, sui le couple jusqu'à « l'alcôve » (la tente), puis les tran erce tous les deux. Et le Seigneur trouve cela très bien, à en croire la Bible (Nb XXV, 1-18).

Le pape Grégoire IX également, qui a lu les textes sacrés. Évoquant ce qu'il appelle pudiquement « la coexistence étroite [*sic*] du Madianite et du Juif », il loue le prêtre hébreu qui « n'a pas estimé qu'il pût lui être interdit d'aller jusqu'à verser le sang »[7]. S'il ne l'avait pas fait, dit le pape, il eût été infidèle à sa mission. Donc, en cas de nécessité absolue, pour le service de la vérité, le clerc peut « verser le sang ».

Grégoire IX, quand même, finit par se reprendre. En 1240, Robert le Bougre fut destitué et condamné à la prison perpétuelle.

L'Inquisition continuait. Les morts eux-mêmes n'en étaient pas à l'abri : s'ils étaient dénoncés comme hérétiques après leurs obsèques, ils devaient être déterrés et brûlés.

Surtout, établie d'abord pour lutter contre le catharisme, l'Inquisition allait bientôt élargir son champ d'action. Contre certains franciscains – appelés les « spirituels » – qui considéraient que leur ordre religieux, fondé sur la pauvreté, ne pouvait rien posséder. Contre les béguines – groupement pieux de femmes laïques établies surtout dans les Flandres – qui prônaient la pauvreté absolue et la mendicité : ainsi, en 1310, la béguine Marguerite de Hainaut fut-elle condamnée à mort. Contre les Templiers, moines-soldats au service du seul pape : ils jouissent d'une grande richesse alors que disparaît le Trésor du roi Philippe le Bel ; celui-ci les fait accuser de pratiques blasphématoires et amorales ; le pape Clément V, un Français, ancien archevêque de Bordeaux, résiste longtemps à ses pressions, puis, malade, finit par céder au roi de France à qui il doit en partie son élection et laisse publier un acte d'accusation qui va jusqu'à les taxer de sodomie. Leurs dignitaires sont exécutés à Paris le 11 mars 1314.

L'Inquisition atteint même Jeanne d'Arc, faite prisonnière à Compiègne. Pour arranger les Anglais, elle est réclamée au nom de la juridiction inquisitoriale, en tant que sorcière, par Pierre Cauchon, évêque de Beauvais : condamnée pour s'être rétractée après avoir avoué sous la pression, elle fut abandonnée au « bras séculier » sur l'estrade même du bûcher où elle allait être brûlée[8]. Car l'Inquisition s'en prend alors directement aux sorciers et aux sorcières, l'accusation principale n'étant plus l'hérésie. Mais cela est presque une autre histoire, qui va amener Satan sur le devant de la scène.

XIII

Quand la Renaissance
fait le succès de Satan

Il a sa statue en Allemagne. Satan en personne. Sous forme humaine, assis, presque souriant. À en croire les guides qui entraînent derrière eux des cohortes de touristes, il participait, voici des siècles, à la construction d'une grande église, travailleur anonyme parmi les travailleurs, quand il fut démasqué. Alors, les gens du cru l'exclurent. Mais, plutôt sympathiques, ils lui bâtirent une sorte de monument. Tout contre l'église.

C'est dire qu'il ne s'est jamais fait oublier. Au point, parfois, de devenir très familier. Trop. Comme un compagnon de route dont il est prudent de se méfier et à qui il est facile d'imputer les détours et les malheurs d'une existence.

Mais voici qu'à la fin du Moyen Âge, son royaume s'étend.

Il n'a jamais connu autant de succès qu'en ces années dites de la Renaissance, voire des débuts des Temps modernes. Comme si, jusque-là, il n'avait fait que se préparer, s'entraîner. Ou plutôt, ou plus vrai, comme si on ne lui avait jamais accordé si grande place.

Dès le XIVe siècle, il est partout.

Dans les textes, qu'il habite presque autant que Dieu. Les écrits se sont multipliés en Europe depuis le XIIe siècle, grâce à l'apparition du papier – que les Chi-

nois connaissaient depuis longtemps. Dante en a bénéficié. Bien d'autres également, qui avaient moins de
talent, nourrissaient moins d'étonnantes visions. Par
exemple Denys le Chartreux, théologien qui se rendit
très célèbre au XVe siècle en reprenant à sa façon d'horribles légendes irlandaises.

Le diable est aussi dans l'imagerie, ne quitte pas fresques et chapiteaux, se répand dans vitraux, tapisseries,
tableaux et enluminures de manuscrits. Ainsi les bien
connues *Très Riches Heures du duc de Berry*, où se
dresse un immense Lucifer qui croque des damnés
pour les recracher dans flammes et fumées. Ou encore
chez Jérôme Bosch, le Hollandais, qui souligne dans
d'impressionnants tableaux la présence de Satan au
cœur des actions humaines, peint des paysages désolés
qu'éclairent des incendies infernaux auxquels tentent
d'échapper d'horribles bêtes hybrides.

Voici encore que se multiplient dans les églises des
boucs effrayants et des diables forgerons dont les
enclumes, frappées de lourds marteaux, sont faites
d'amoncellements de damnés. Ou bien ceux-ci sont
pendus vivants et tourmentés, passés au gril et percés
de flèches[1]. Et les démons, à qui il faut donner des ailes
qui ne rappellent pas les plumes des anges, se voient
dotés (à l'instar de modèles chinois) de celles des
chauves-souris, pavillons membraneux tendus sur des
ongles bien crochus[2].

Plusieurs raisons s'entremêlent ou se succèdent pour
expliquer cette invasion.

Au premier rang, une série de calamités. D'abord la
peste noire au XIVe siècle. Un mal à nul autre pareil,
contagion terrifiante que rien ne semble pouvoir arrêter et qui n'épargne personne, venue d'Asie centrale,
propagée par les guerriers mongols et passée par Constantinople avant de parvenir à Gênes, Florence[3] en
1348, et de s'étendre à toute l'Europe. La terreur. Des
panaches de fumée grise s'élèvent au-dessus des villes :
on brûle les cadavres sur des bûchers. On fuit aussi, on

vole, on viole. C'est la Mort qui règne, plus que Dieu et les rois.

Bien entendu, on cherche une explication, des coupables. Quelques-uns évoquent des pluies de crapauds, des esprits invisibles. Mais on s'en prend surtout aux Juifs, accusés d'avoir empoisonné l'eau. Car c'est elle qui transmet la peste : la preuve, c'est que tous les morts en avaient bu auparavant ! Et qui a fait de l'eau, si nécessaire à la vie, un instrument de mort ? Des gens différents, bien sûr, qui vivent à l'écart, observent d'étranges rites, qui gagnent leur vie en maniant de l'argent, qui concurrencent les marchands dans les villes ou les tiennent en leur pouvoir en prêtant, avec intérêt, et avec usure dit-on parfois : les Juifs. Ils n'ont pas fini de le payer.

Déjà, le quatrième concile du Latran, en 1215, avait attaqué explicitement les usuriers juifs, accusés d'« épuiser la force financière des chrétiens ». Il est vrai que les papes s'en étaient pris auparavant aux usuriers chrétiens. Mais avec moins de violence.

Donc, les Juifs sont pris à partie, dévalisés, lynchés, tués. Mais aussi tous ceux que l'on soupçonne d'être atteints de la maladie, donc contagieux, qu'ils soient nobles ou bourgeois.

Voici qu'au début des années 1350 le mal s'éteint. Alléluia ! On le croit disparu, la Mort mise en déroute. Les survivants se marient « à l'envi », écrit un chroniqueur de l'époque, les naissances se multiplient, la confiance renaît. Mais, dix ans plus tard, le mal revient – on l'appellera la « peste des enfants » – et s'installe cette fois pour longtemps, alternant trêves et explosions (en 1720, il apparaîtra encore à Marseille). Le chroniqueur Jean Froissart, qui écrivait au XIVe siècle, estimait qu'il avait emporté « la tierce partie du monde » (l'Europe, pour lui). Or, Froissart n'avait encore rien vu.

Les survivants l'expliquèrent par la colère d'un Dieu qui voulait mettre son peuple à l'épreuve, la venue prochaine de l'Antéchrist annonçant la fin du monde, ou la méchanceté du diable. Certains, pourtant, décidèrent de profiter de la chance qui leur était laissée pour mener une vie qualifiée de « débauchée »[4].

À la peste s'ajoutèrent bientôt des famines. Nombreuses. Celles-ci épaulant celle-là pour emplir les fosses des cimetières. Lesquels émigrent, commencent à quitter les abords des églises autour desquelles ils se groupaient, car l'on n'y trouve plus où loger les corps des défunts.

Les histoires divergent sur les causes des famines : climatiques, inadaptation des techniques agricoles aux vagues de froid et de pluie, guerres, urbanisation. De tout un peu, ou beaucoup, peut-être. Elles furent, quoi qu'il en soit, meurtrières, notamment à la fin du XVe siècle[5].

Enfin, la guerre elle-même. Surtout en France. Ses voisins européens connaissent bien des querelles dynastiques et des périodes anarchiques, mais c'est elle qui a supporté, à peu près seule, le poids de la guerre dite « de Cent Ans ». À quoi s'ajoutent, toujours, les ravages des grandes compagnies, bandes de mercenaires qui se vendent aux rois en conflit et, la paix revenue, se mettent à leur propre compte.

Au total, à la fin du XVe siècle, l'Europe est parsemée de villes réduites au volume de villages, et de villages dits « perdus » parce qu'il n'en reste que masures et ruines.

Les populations s'interrogent évidemment sur les raisons de semblables accumulations de malheurs. Et quand elles se posent de telles questions, l'image du diable réapparaît.

Pourtant, l'Europe, dans le même temps, va retrouver l'espoir. Ce qui – paradoxalement – ne sera pas non plus une mauvaise affaire pour lui. Voici pourquoi et comment.

Il s'agit des premiers temps de la Renaissance. Laquelle n'est pas seulement, loin de là, une redécouverte des richesses de l'Antiquité classique, mais une découverte nouvelle du monde, une nouvelle façon de le penser et d'exploiter ses richesses, un progrès de la raison.

Tout se mêle alors.

L'exploration de la planète : les Portugais atteignent l'Inde en 1500 ; Christophe Colomb, patronné par la cour d'Espagne, découvre en 1492 les premières îles de ce que l'on appellera l'Amérique. La carte de la Terre établie au IIe siècle par le Grec Ptolémée (un visionnaire pourtant) est, une fois pour toutes, remisée au rayon des archives, et l'on s'apercevra bientôt que la Terre est ronde.

Partout où ils abordent alors, les Européens croient découvrir des inspirations sataniques dans les croyances et les pratiques des peuples. Un franciscain nommé Sahagún, qui avait l'âme d'un ethnologue et qui recueillit avec passion et patience les textes sacrés des anciens Mexicains, leur trouvait une origine diabolique. Au Pérou, le conquistador espagnol Pizarro torturait un prêtre pour lui arracher le secret de ses relations avec Satan. Et si les Incas résistaient à la conquête c'est, disait-on, qu'une légion de démons les assistait.

Les conquérants des autres mondes et les religieux qui les suivaient croyaient, eux, trouver Satan en Inde, puis dans la Chine des Ming. Ils l'appelaient « le père du mensonge », cherchant frénétiquement à ressembler à Dieu : ainsi certaines triades divines présentes en Chine n'étaient-elles qu'un plagiat vulgaire de la Trinité.

Enfin, quand Jacques Cartier découvrit, de l'autre côté de l'Atlantique, ce qui allait être la Nouvelle-France, François Ier lui confia pour mission de délivrer les Indiens de la tyrannie du démon.

D'autres découvreurs sont aussi à l'œuvre.

L'imprimerie apparaît pour la première fois en Allemagne, en 1377 (sous forme de cartes à jouer !), et commence à se répandre, dans la première moitié du xve siècle, grâce à l'invention des caractères mobiles par l'orfèvre Johannes Gutenberg. C'est le moment où naît Léonard de Vinci, le plus célèbre des inventeurs d'une époque qui en compta beaucoup. Suivra, vingt ans plus tard, Dürer qui, connu surtout comme peintre et graveur, fera beaucoup progresser la botanique par ses tableaux. Et le Bruxellois Vésale, enfiévré par la dissection des criminels (ou supposés tels) que l'on a mis à mort, démontre que les descriptions anatomiques de Galien, médecin grec jusque-là considéré comme un maître en la matière, correspondent au corps d'un rat plutôt qu'à celui d'un homme.

Bref, la science progresse en tous domaines (moins sans doute en physique et en chimie)[6]. Et quand la science progresse, c'est que la raison est à l'œuvre, c'est elle que l'on exalte. Mais tout progrès de la raison – l'Histoire le démontre – provoque celui de son contraire : l'irrationnel.

Qui évoque l'exaltation de la raison à cette époque doit d'abord rappeler un grand logicien, né à Béthune dans le nord de la France et surtout connu à cause d'un âne : Buridan. Une allégorie qui lui est attribuée montre en effet un âne mourant de faim et de soif entre un seau d'eau et une gerbe d'avoine parce qu'il ne parvient pas à décider s'il va commencer par boire ou par manger. Buridan serait sans doute peiné d'apprendre que sa (relative) célébrité actuelle tient à cette histoire qu'il n'a même pas écrite ainsi. Car son importance est ailleurs : dans l'explication de grandes lois physiques et dans le refus de croire que les phénomènes naturels ont des causes ou des explications surnaturelles.

Comme tous les grands maîtres, Buridan tire aussi son importance de celle de ses élèves, surtout un certain Nicolas Oresme, qui fut évêque de Lisieux et appliqua les mathématiques au mouvement des planètes, évoqua l'existence possible d'autres mondes habités dans l'espace, développa des idées nouvelles sur la chute des corps, bref, contribua puissamment à la séparation de la science et de la religion[7].

En outre, l'Église combat toujours les hérésies. Elle en a en principe fini, à la fin du Moyen Âge, avec les vaudois et les cathares, mais chaque hérésie laisse des traces, imprègne quelques esprits, suscite d'autres déviances. Ainsi lutte-t-on, à Lille et à Douai notamment, au début du XVIe siècle, contre les « turlupins » accusés, outre de croyances perverses, des plus graves turpitudes sexuelles et d'utilisation diabolique des cendres d'enfants nés d'unions incestueuses[8].

Surtout, la peur de l'hérésie est plus forte, parfois, et même souvent, que l'hérésie elle-même. Elle devient obsessionnelle avant qu'éclate la Réforme protestante. Les manuels mis à la disposition des inquisiteurs ne dressent pas seulement, ni en priorité, une liste d'actes de magie ou de superstitions dont ceux-ci doivent chercher les traces ou le souvenir, ils comportent aussi et d'abord des listes interminables d'hérétiques aux noms étranges : borborites, hydraparastates, tascodrogites, etc.[9]. Tous suppôts de Satan, comme il se doit.

Et voilà que l'Église voit naître un monde nouveau et craint – non sans quelque raison – qu'il ne lui échappe. Elle va contre-attaquer en faisant peur. Comme une mère qui, traversant un pays inconnu qu'elle suppose peuplé d'ennemis, en fait de terrifiantes descriptions à ses enfants afin qu'ils restent collés à ses jupes.

Elle ne manque pas d'armes pour le faire. Dans les universités qu'elle dirige ou contrôle, la démonologie est devenue une part importante de la théologie. Les livres qui lui sont consacrés sont rapidement, l'imprimerie aidant, des « best-sellers ». Celui de Jean Bodin, *La Démonomanie des sorciers*, publié en 1580, connaît, en vingt ans, vingt éditions en quatre langues[10].

Ce Jean Bodin, moine catholique angevin passé à la Réforme protestante, était surtout un juriste (son œuvre essentielle avait pour titre *La République*) mais toutes les sciences l'intéressaient. Son livre, détaillant les moyens de lutte, y compris les plus rudes, contre les sorcières à l'influence desquelles il croyait fermement, était une riposte, un peu tardive, à un autre « best-seller » : celui du médecin néerlandais Jean Wier. Lequel, publié en latin à Bâle en 1563 puis à Paris en 1567, mettait en doute la réalité diabolique des phénomènes de sorcellerie. Or, les démons, Bodin avait même tenté de les dénombrer. Très précisément. Pour aboutir au chiffre imposant de 7 409 127 démons, aux ordres de 89 princes, commandés par Lucifer. Une immense armée, donc.

Outre Bodin, bien des théologiens, catholiques ceux-là, entrent alors dans le débat. La démonologie fait la fortune de quelques imprimeurs. Un livre anonyme, publié en 1581, *Le Cabinet du roy de France*, n'aboutit lui, pour des raisons peu évidentes, qu'à 7 405 920 démons.

Le prieur des dominicains de Bâle, Jean Nider, publie en 1435 un écrit incendiaire, le *Formicarius* (la « Fourmilière »), qui présente le monde des sorciers, surtout des sorcières, comme une sorte de contre-Église. Le titre du texte souligne assez que ses fidèles sont nombreux. Et, rendant compte – peut-être avec quelque imagination – de procès inquisitoriaux menés dans la région du lac Léman, il souligne que les sorciers ne font pas seulement le Mal, ils observent mal la foi *(male fidem servans)*. Les voici donc rangés parmi les hérétiques, ou proches de l'être.

Tous les Européens ne savent pas lire, certes. Mais, note Jean Delumeau[11], « la peur du diable a surtout habité les milieux dirigeants dont étaient issus théologiens, juristes, écrivains et souverains ». Le peuple en est resté à une image plus familière. Pour lui, le diable peut être amadoué, utile même ; on peut négocier avec lui. Quitte, quand on lui a consenti quelques offrandes, ou sacrifices, à s'en excuser près de l'Église officielle. Laquelle, bien sûr, ne s'en contente pas et fera tout pour noircir les traits de Satan.

Elle ne manque pas de moyens. D'abord, le théâtre dans les villes – les « mystères » joués devant la foule – où elle le fait apparaître avec des cornes immenses, un long nez crochu, tout de noir vêtu et le visage passé à la suie. Vociférant comme il se doit. Mais aussi l'image : dans les bâtiments religieux, c'est facile. La peinture, qui fleurit alors, y contribue. Ainsi, Le Greco réalise vers 1570 un *Songe de Philippe II* (roi d'Espagne porté à l'absolutisme par l'idée de sa mission divine, qui multiplia les guerres contre les pays protestants ou les « barbaresques »), songe qui représente le souverain et Jésus réunis avec les anges dans un monde lumineux tandis que, dans le quart inférieur droit du tableau, un monstrueux poisson, gueule ouverte à l'excès, avale une foule d'individus squelettiques.

On diffuse aussi dans les campagnes, à la fin du XVe siècle (mais son succès s'étendra longtemps), un *Calendrier des bergers* détaillant les peines affectées après la mort à chaque péché capital : la roue pour les orgueilleux, un fleuve glacé où baignent les envieux, tandis que des serpents, bien sûr, mais aussi des crapauds, dévorent le sexe des luxurieux[12].

Pour les plus religieux et les plus intellectuels, Ignace de Loyola, fondateur de l'ordre des jésuites, propose dans ses *Exercices spirituels* (publiés en 1548 et édités en français à partir de 1614) une méditation sur l'enfer qui utilise tous les sens du retraitant, vue, ouïe, odorat, goût, toucher : « Je verrai des yeux de l'imagination ces feux immenses et les âmes des réprouvés comme enfermés dans des corps de feu. [...] J'entendrai, à l'aide de l'imagination, les gémissements, les cris, les clameurs, les blasphèmes contre Jésus-Christ Notre-Seigneur. [...] Je me figurerai que je respire la fumée, le soufre, l'odeur d'une sextine et de matières en putréfaction. [...] Je m'imaginerai quitter intérieurement des choses amères, comme les larmes, la tristesse, le ver de la conscience. [...] Je toucherai ces flammes vengeresses, m'efforçant de comprendre vivement comment elles environnent et brûlent les âmes des réprouvés. »

Les prédicateurs s'inspirent de ces textes et de ces images, en rajoutent volontiers pour tenir bien en main leurs ouailles. Ils en font autant quand ils prennent place au confessionnal ou accourent au chevet d'un agonisant. Bref, c'est le clergé d'abord qui, dirait-on aujourd'hui, « fait la publicité » de Satan. Avec succès.

Parce que, il faut de nouveau le souligner, quand le rationalisme se développe, l'irrationnel séduit (on verra même, au tournant du XXe siècle, Freud lui-même, tout scientifique qu'il se voulait être, prendre le parti des « superstitions populaires » contre la science positive et s'intéresser à l'occultisme). Les savants, le monde intellectuel de cette époque redécouvrent, eux, l'hermétisme, un ensemble mi-magique mi-religieux d'idées censées venir de l'Égypte ancienne, qui avait, un temps, beaucoup intéressé saint Augustin. Cette « doctrine » décrit un univers conduit par des êtres divins et fonctionnant grâce à la magie, l'alchimie et autres sciences occultes[13].

Au XVIe siècle également, Michel Servet, médecin espagnol qui figure dans toutes les histoires des sciences pour ses travaux sur la circulation sanguine, rédige un *Discours apologétique en faveur de l'astrologie*. Le pape Paul III, grand réformateur aux mœurs dissolues (il nomme cardinaux, après son élection, ses deux petits-fils), consultait l'astrologue Luca Gaurico et le chargea de déterminer, en observant le ciel, le moment favorable à l'édification d'une partie de la basilique Saint-Pierre. La confiance naissante en la raison s'accompagnait, comme souvent, d'une méfiance profonde à son égard (Pascal, bientôt, en soulignera les limites ; Nietzsche, bien plus tard, épiloguera sur l'absurdité de l'Histoire. Einstein remettra en cause les notions de temps et d'espace et, plus près de nous, Gaston Bachelard se demandera si les règles de la raison ne sont pas des barrières à franchir au plus vite).

Les philosophes des xve et xvie siècles, quand ils s'interrogent sur le Mal, sur le fait que les lois physiques que l'on découvre alors sont, par accident, parfois mises en échec, finissent par en trouver deux causes, assez proches en vérité : pour les uns, c'est l'héritage du péché d'Adam ; pour d'autres, une sorte de parasite qui trouble le cours du monde. Pourquoi pas Satan[14] ?

Toutes les situations énumérées dans ce chapitre concourent au succès du diable. Mais il en est une autre, qui va aviver à l'excès les craintes de l'Église catholique : l'hérésie des hérésies, la Réforme protestante. Alors que, pourtant, Luther et Calvin sont, autant que l'Église catholique, voire plus, persuadés que Satan étend son règne sur le monde.

XIV

Le temps de Luther

Ce moine bénédictin n'a pas laissé un grand nom dans l'Histoire. Il se nommait Trithemius. Et, au xvᵉ siècle, il s'intéressait aux terreurs de l'an mil. Avec quelque mépris. Mais pour laisser entendre que l'humanité avait seulement bénéficié alors d'un sursis. La fin du monde et le jugement dernier – l'effrayant jugement dernier – pourraient bien être très proches.

Trithemius n'était pas le seul à le penser et l'écrire. Toutes les calamités récentes poussaient à le croire. Elles impressionnaient bien plus l'opinion et les intellectuels du temps que les progrès de la science.

En témoigne ce signal d'alarme lancé par un prédicateur de la cathédrale de Strasbourg, nommé Geiler. « Ce qu'il y a de mieux à faire, c'est de se tenir dans son coin et se fourrer la tête dans un trou en s'attachant à suivre les commandements de Dieu et à pratiquer le bien pour gagner le salut éternel[1]. » Un véritable « sauve-qui-peut ».

C'est qu'aux calamités qui affectent l'Europe s'en joint une – et de taille – qui divise l'Église : le « grand schisme d'Occident ».

Il est provoqué par des rivalités auxquelles les États prennent une grande part. Elles sont peu théologiques, très peu même, et leur spectacle n'est guère édifiant. L'Église, dans les premières années du xvᵉ siècle, possède trois papes à la fois : un Français à Avignon,

Clément VII ; un Italien à Rome, Urbain VI ; et un autre Italien à Pise, Alexandre V. Toute la chrétienté est divisée, huit années durant[2].

Cette crise laisse évidemment des traces, des blessures qui ne cicatriseront pas de sitôt. Un concile réuni à Constance en 1415 affaiblit les pouvoirs du pape. Surtout, le grand schisme favorise la naissance d'une hérésie, celle du réformateur tchèque Jean Hus qui dénonce, entre autres, les excès multiples de la hiérarchie ecclésiastique et va jusqu'à considérer par exemple que les clercs sont en état de péché quand ils possèdent en propre une terre ou un quelconque domaine. Autant dire qu'il existe parmi eux un bon nombre de pécheurs car le pays de Jean Hus, la Bohême, est peuplé d'un clergé peu embarrassé de la morale et plutôt avide d'argent. Venu au concile de Constance, l'imprudent Jean Hus est arrêté et brûlé vif. Ses partisans se soulèvent, se livrent à des violences contre les catholiques, remportent quelques victoires et finissent par accepter un compromis[3]. Mais nombre d'entre eux vont bientôt se rallier à Luther.

Nous y voici. Plusieurs décennies après le grand schisme. Entre-temps, on s'est un peu traités, ici ou là, d'Antéchrist. L'Antéchrist, bien sûr, c'est toujours l'autre. Et aussi, assez souvent, l'un des papes.

Entre-temps encore, Vincent Ferrier, un dominicain assez exalté, n'a cessé de répéter d'un sermon l'autre que le jugement dernier est pour « bientôt, sans tarder, dans très peu de temps[4] ». Entre-temps toujours, un autre dominicain, Savonarole (qui finira excommunié, pendu et brûlé), n'a cessé de prêcher que les multiples vices de l'Église annoncent le « temps qui fait trembler l'Enfer, le jour du jugement ». Christophe Colomb lui-même, retour de l'autre monde, annonce que Dieu l'a « choisi pour son messager » puisqu'il était question dans l'Apocalypse de cieux nouveaux et d'une nouvelle terre[5]. Entre-temps enfin, le même Christophe Colomb et bien d'autres ont élaboré à partir des Écritures des calculs savants – mais qui aboutissent à des résultats différents – pour fixer la date de la fin du monde[6]. Et, surtout, dans le même temps se sont multipliées les accusations contre la corruption ecclésiastique.

Martin Luther, ordonné prêtre en avril 1507, au terme d'un parcours tourmenté, revint troublé d'un voyage à Rome en 1510. Mais sa détermination réformatrice se forgea d'abord pour des raisons théologiques : ce que l'on appelle la « justification ». Puisqu'il est un peu partout question du jugement, il réfléchit des années durant à la « justice de Dieu ». Se fondant sur un texte de saint Paul, « le juste vivra de sa foi » (Rom I, 12), il conclut que l'homme n'est pas « justifié » (c'est-à-dire reconnu comme « juste » par Dieu, pouvant vivre dans son intimité, gagner le paradis), d'abord par ses actions, ses œuvres, mais par la foi dans le Christ, laquelle est accordée gratuitement par le Seigneur[7]. Il développe ses conceptions doctrinales en 1517 dans un document en 95 thèses.

Le choc suivra bientôt.

Les « œuvres » auxquelles pense Luther, en effet, ce sont sans doute les bonnes actions, les actes inspirés par l'amour de Dieu et des hommes, mais aussi – et surtout – les offrandes superstitieuses, les procédures magiques.

Or, il en est qui se sont beaucoup développées depuis que s'est formalisée la foi au purgatoire : les indulgences. Il s'agit, en termes simples, de la remise plénière ou partielle du temps que le pécheur doit passer dans cet enfer provisoire et purificateur s'il fait, au cours de sa vie terrestre, telle prière, accomplit tel acte, exécute tel geste pieux, ou si ses proches, après sa mort, font dire des messes ou prient pour lui.

Il existait auparavant une indulgence dite « de croisade » : elle dispensait le pénitent de tout ou partie des obligations qui lui étaient imposées après qu'il eut confessé ses péchés. Or, les croisés l'interprétèrent plus largement : à leurs yeux, ce n'était plus la sanction qui était effacée, mais le péché lui-même qui était remis, oublié. Et ils finirent par faire triompher cette idée, en 1215, lors du concile du Latran IV. Le pape, comme représentant (vicaire) du Christ, s'arrogeait le droit de se substituer à Dieu et de remettre les péchés à certaines conditions. Le croisé était sûr de mériter le paradis : « S'ils meurent au service du Christ, ils sont considérés comme de vrais martyrs, libérés des péchés véniels et mortels, de toute pénitence qui leur fut imposée, absous de la punition de leurs péchés en ce monde, de la peine du purgatoire dans l'autre. »

Cette indulgence « de croisade » fut ensuite élargie, et parfois de la pire manière : le pape Jules II, élu en 1502, décida que l'on pouvait obtenir des indulgences en participant au financement des travaux de la basilique Saint-Pierre de Rome. Un système qui s'étendit. Certains ecclésiastiques sans scrupules vendaient des indulgences, laissant aussi croire qu'en les accumulant on pouvait, en somme, acquérir la permission de pécher[8].

Le 31 octobre 1517 (la date est discutée), Luther entre en rébellion ouverte en affichant ses 95 thèses (en vérité, à ce moment, il ne pensait pas faire un tel bruit). Le mouvement était lancé. Luther allait progresser dans une sorte de spirale. En 1519, il conteste la primauté du pape. Il rejette ensuite le monopole du clergé dans l'étude des Écritures, puis l'abus des sacrements. La suite, les guerres de Religion et les persécutions, est connue ; la dimension prise par Calvin parmi ses disciples également.

Ce que l'on souligne moins, c'est l'importance accordée à Satan par le réformateur protestant. Pas seulement parce que, violent dans la polémique, il qualifie l'Église de « paillarde de Satan[9] » (il lui arriva d'ailleurs de regretter certains excès de langage). Mais parce qu'il écrivit par exemple que « tout ce qui est dans le siècle est assujetti à la malice du diable qui règne dans le monde entier. Pour cette raison, le monde est aussi appelé le règne du diable [...]. En aussi grand nombre qu'ils sont dans le monde, les hommes sont assujettis au péché et au diable pour ne pas dire qu'ils sont membres du diable qui, par sa tyrannie, retient tous les hommes captifs. [...] Il en résulte que tous les dons que tu possèdes, tant spirituels que corporels, tels que la sagesse, la justice, la sainteté, l'éloquence, la puissance, la beauté, les richesses sont l'instrument et les armes serviles de la tyrannie infernale du diable : à l'aide de tout cela tu es contraint de le servir, de promouvoir son règne et de lui donner de l'accroissement[10] ».

Dans son commentaire de la Genèse, Luther a introduit, de même, la notion d'une « image du diable » inscrite dans l'homme à la place de l'« image de Dieu »[11]. L'image de Satan est devenue la « substance » de la nature humaine[12]. Luther en a tiré toutes les conséquences. Il a proclamé, bien entendu, que le diable inspirait chacun de ses adversaires, avait donné aux cérémonies catholiques des « formes abominables », « imaginé la perverse moinerie », inventé le commerce de l'argent. Si des paysans, à cette époque, se sont révoltés, c'est que le diable « avait en vue de dévaster entièrement l'Allemagne parce qu'il n'avait pas d'autre moyen pour faire obstacle à l'Évangile[13] ». C'est aussi Satan qui ment « par la voix et la plume » du pape. Lequel, s'il s'agit de Jules II, est accusé d'avoir provoqué d'« horribles effusions de sang », s'il s'agit de Paul III, des « parricides », et, s'il s'agit d'Alexandre V, des incestes.

Les protestants et les catholiques engagés dans des combats aussi cruels que fratricides n'ont pas tous lu – loin de là – les œuvres de Luther, de Calvin ou de leurs contradicteurs. Mais de multiples brochures sont alors répandues, qui vont plus loin encore dans l'injure et aussi la mise en cause du diable. Ainsi Théodore de Bèze, compagnon et successeur de Calvin, présente-t-il l'Église catholique comme une « catin, archi-catin qui écarte les jambes sous tous les arbres ». Quant aux discours que tiennent les « papes sodomites », ils sont inspirés par l'Antéchrist et qualifiés d'« excréments que le Diable a vomis par [leur] bouche fétide [car] bouche du pape et cul du Diable c'est tout un[14] ».

Les catholiques ne sont pas en reste. Après l'assassinat de l'amiral de Coligny, dirigeant protestant, à l'instigation de Catherine de Médicis et du roi Charles IX (son cadavre, décapité, émasculé, ayant été traîné jusqu'au gibet pour y être pendu par les pieds), assassinat suivi du massacre dit de la Saint-Barthélemy, le pape Grégoire XIII ordonne la célébration à Rome d'un *Te Deum* de joie. Une complainte catholique met dans la bouche de la victime, Coligny, des reproches à Lucifer qualifié d'ingrat[15].

On fait assaut de violences. C'est sans doute dans l'esprit du temps. Quand l'ancien moine allemand Thomas Münzer, d'abord rallié à la Réforme, se brouille avec les luthériens puis conduit une révolte de paysans miséreux, Luther conseille par écrit aux princes de les massacrer : « Si on ne les tue pas, ils vous tuent un pays avec vous. [...] Chers Seigneurs, déchaînez-vous, sauvez-vous, exterminez[16]. » Cinquante ans plus tard, le pape Pie V, ancien inquisiteur, désireux de féliciter le duc d'Albe qui a fait massacrer aux Pays-Bas des protestants par milliers, lui fait envoyer une épée bénite sertie de pierres précieuses.

À cette époque, le peintre Peter Bruegel l'Ancien, plus connu aujourd'hui pour ses représentations de la nature, de fêtes paysannes et de repas de noces, réalise une « rixe d'aveugles » qui dit tout. Dans son *Triomphe de la mort*, il décrit des troupes de squelettes qui abandonnent les cimetières la nuit, en quête de proies. Enfin, il met en scène une *Dulle Griete* (Margot l'enragée) qui traverse, hallucinée, un monde de folie, de feu et de combats, où se débat le diable[17]. Encore lui.

Des deux côtés, on considère l'adversaire comme l'agent de Satan. Le moine Artus Désiré qualifie Luther d'« esprit damné », ce qui n'est rien comparé à Calvin, « asnier de Sathanas ». Les partisans de celui-ci,

« loups-garous calvinistes », sont accusés de piller les ornements d'église pour en faire « habillement à leurs putains ». Ils sont « moines apostats, pilleurs d'églises, simoniaques (corrompus), paillards ». Et Artus Désiré, encore lui, lance un « au feu, au feu, les hérétiques ! », lesquels répondent sur le même ton[18]. La différence étant que, les armées du roi les aidant, les catholiques ont davantage de moyens de mettre leurs menaces à exécution lors de plusieurs horribles guerres civiles. D'autant que les troupes royales trouvent à leurs côtés les Espagnols et les Italiens. Tandis que les protestants ne sont aidés que par les Anglais. Les mercenaires suisses et allemands, eux, se vendant aux deux camps.

À s'en tenir au nombre des morts – variable suivant les comptes tenus de part et d'autre –, les protestants souffrirent bien davantage, en France, que les catholiques.

Mais il est d'autres victimes. En plusieurs domaines.

D'abord, pour la pensée, l'humanisme. Ceux qui croient en la bonté du Créateur sont déchirés par ces traquenards, trahisons, massacres, menés au nom du même Évangile. Et le concile de Trente, en 1563, désespère aussi ceux qui croient en la possibilité de réformer l'Église de l'intérieur.

Autre victime : la tolérance, à l'intérieur des États. La liberté religieuse est niée. En Allemagne, en France, en Italie, en Espagne, la religion du peuple est celle du prince.

Pour ce qui concerne enfin l'objet de ce livre, le grand vainqueur est Satan. Comme on vient de le voir et comme le constate l'historien Robert Muchembled, « une sorte de compétition s'engagea entre les protestants et les catholiques pour prouver que le démon était plus actif qu'auparavant à cause des péchés et des crimes de l'ennemi religieux. L'emphase portée sur ce thème le fut d'abord par les réformés. [...] La théologie luthérienne fit d'ailleurs une plus grande place au diable que celle des catholiques. L'extraordinaire floraison en Allemagne d'une littérature spécialisée dans les "livres du diable" durant la seconde moitié du XVIe siècle témoignait de l'importance de la figure diabolique, également très présente dans les poèmes ou les pièces de théâtre. La propagande partisane en fit d'ailleurs grand usage pour mieux diaboliser l'ennemi religieux, en particulier le pape, considéré comme l'Antéchrist, annonciateur du règne de Satan sur le monde[19] ».

XV

Juifs et femmes au pilori

Outre les armées de démons et de diablotins qu'il commande, Satan ne manque pas d'alliés : tous les ennemis supposés des chrétiens, à commencer par les hérétiques dont la liste s'allonge ; et enfin, les sorciers ou sorcières qui leur seront assimilés peu à peu.

Côté hérétiques, les musulmans effraient de plus en plus. Ils seront donc diabolisés.

Ils sont certes repoussés dans la péninsule Ibérique, mais ils avancent un peu partout. Surtout, ils ont pris Constantinople en 1453. Un choc. « Maintenant, écrit alors le futur pape Pie II, nous sommes frappés dans notre patrie, chez nous[1]. » L'Occident n'a encore rien vu : au siècle suivant, les cavaliers du sultan Soliman le Magnifique avanceront jusqu'aux portes de Vienne.

Ces envahisseurs, il est vrai, ne sont pas toujours mal reçus. Au contraire. C'est que, dans les Balkans, les paysans ont beaucoup souffert du régime féodal. Les conversions à l'islam sont donc assez nombreuses et pas toujours imposées.

L'Église, bien entendu, s'inquiète une fois encore. Et se réjouit quand, en 1571, don Juan d'Autriche met à mal la grande flotte turque du côté de Lépante : le pape Pie V crée aussitôt une fête de Notre-Dame-des-Victoires. Marie, déjà adversaire reconnue du diable, est considérée comme celle de l'islam. Qui pourtant la vénère.

Luther n'est pas en reste. Pour lui, les Turcs ne sont pas des hommes mais des démons. « Soyez certains, écrit-il, que vous luttez contre une grande armée de diables. [...] Contre les diables, il faut que nous ayons des anges auprès de nous ; c'est ce qui adviendra, si nous nous humilions, si nous prions Dieu[2]. »

Les Juifs sont plus diabolisés encore. Dans les tout premiers siècles, ce n'étaient pas toujours les souverains ou les papes qui les dénonçaient ou les persécutaient. Parfois même, ils les protégeaient[3].

D'autres voix, il est vrai, les attaquaient. Ainsi, au IVe siècle, le Grec Grégoire de Nysse, Père de l'Église, les qualifiait de « comparses du diable, race de voyous, délateurs... » et autres gentillesses du même calibre. Eusèbe d'Alexandrie leur annonçait benoîtement qu'ils iraient en enfer avec leur « père, le diable ». Mais de telles fureurs étaient devenues plus rares. Jusqu'au temps où s'aiguisèrent, dans les villes en croissance, les rivalités avec les marchands et les financiers. Quand survenaient les crises économiques, les Juifs étaient persécutés, voire massacrés[4].

Les prétextes et les arguments théologiques, religieux, s'ajoutent rapidement aux raisons profanes, apportent à celles-ci une sorte de justification, les développent, en deviennent le fondement. Comme l'écrit Jean Delumeau, « pourquoi les Juifs sont-ils ces perpétuels boucs émissaires ? On est [...] renvoyé à un problème de mentalité et [...] à l'action sur les esprits d'un discours théologique[5] ».

Aux XIIIe et XIVe siècles, des conciles interdisent aux chrétiens d'acheter de la nourriture chez les commerçants israélites de crainte que ceux-ci, « qui tiennent les chrétiens pour leurs ennemis, ne les empoisonnent perfidement[6] ».

Le Juif n'est pas seulement perfide, il est aussi, il est surtout – voilà reprise la grande accusation qui sera répétée jusqu'au XXe siècle – « déicide », coupable d'appartenir à un peuple qui a tué Jésus, Dieu. C'est ce que montrent les « mystères » joués sur les parvis des cathédrales. C'est ce que caricaturent les fresques et les tableaux des églises. C'est ce que répètent les poètes. C'est ce que proclament les prédicateurs. C'est ce qu'écrit Luther, qui a d'abord rêvé de convertir les Juifs[7] et qui les condamne ensuite. Lorsque Judas s'est pendu, écrit-il, « les Juifs ont peut-être envoyé leurs serviteurs, avec des plats d'argent et des brocs d'or, pour recueillir sa pisse avec les autres trésors, et ensuite ils ont mangé et bu cette merde[8] »... Heureusement, Luther, lorsqu'il se laisse aller à de telles insanités, n'est pas suivi par tous les réformés. Loin de là.

À la même époque, les papes Paul III et Pie V commencent à enfermer les Juifs de leurs États dans des ghettos. Ce n'est que le début d'une série de mesures destinées à en faire des exclus, et d'une suite d'accusations de meurtres rituels (crucifixions) d'enfants chrétiens. Car les Juifs ne cessent de vouloir encore tuer Jésus : ainsi sont-ils accusés de profaner (percer de clous par exemple) les hosties dans lesquelles il réside selon la foi catholique. Et, bien entendu, ils ont un autre dieu : « Il s'appelle le diable », écrit Luther[9]. Les catholiques ne pensent pas autrement : si le Juif est l'incarnation du Mal, il est le diable.

Derniers alliés de Satan, bien sûr, les sorciers et surtout les sorcières.

Jusqu'au XIIIᵉ siècle, en vérité, l'Église ne s'en préoccupait pas vraiment, même si elle dénonçait ou reprenait à son compte, en les modifiant, les « superstitions » anciennes. L'image terrifiante de la sorcellerie diabolique, faite d'horribles descriptions où se mêlaient orgies, profanations, crimes et malédictions, s'est élaborée peu à peu au milieu de ce siècle-là, jusqu'à atteindre un paroxysme au XVᵉ et à requérir, alors, toute l'attention des inquisiteurs.

Ceux-ci, on le sait, avaient reçu pour mission de lutter contre l'hérésie. Mais non contre la magie ni les pratiques superstitieuses. Or, dans le contexte d'un siècle marqué par la lutte contre les vaudois et les cathares, certains avaient été tentés de voir l'hérésie partout, de se persuader qu'ils assistaient à la naissance d'une contre-religion, d'y assimiler un culte du diable.

Le premier inquisiteur nommé officiellement en Allemagne, Conrad de Marbourg, un fanatique qui multiplia les bûchers avant de finir assassiné en juillet 1223, avait cru découvrir une secte où les novices baisaient le derrière d'un crapaud et celui d'un chat noir, où l'on se réunissait la nuit pour se livrer à des orgies sexuelles, adorer Lucifer et, enfin, à Pâques, jeter les hosties dans les tas d'ordures.

À sa suite, d'autres inquisiteurs, des évêques et des clercs, avaient fait pression sur les papes pour inclure les délits de magie et de sorcellerie dans le « crime » d'hérésie. Ce qu'Alexandre IV refusa : en 1258, il décréta que les inquisiteurs ne pouvaient juger les crimes de « divination et de sortilège » à moins qu'ils ne constituent « une hérésie manifeste »[10]. Une formule qui pouvait prêter à bien des interprétations, mais manifestait encore le refus d'élargir à la magie et la sorcellerie les pouvoirs des inquisiteurs.

La suite était prévisible. Les inquisiteurs et tous ceux qui voyaient des sorciers partout allaient demander que les crimes de « divination et sortilège » soient assimilés à des « hérésies manifestes ». Ainsi vit-on apparaître dans certains comptes rendus de procès les « hérésies de fascination » ou les « hérésies d'ensorcellement ». Finalement, en 1451, deux siècles après les réserves exprimées par Alexandre IV, l'un de ses successeurs, Nicolas V, très préoccupé par ailleurs de rétablir l'autorité pontificale, poussait l'Inquisiteur général de France, Hugo Lenoir, à poursuivre « les crimes de sacrilèges et de divination, même s'ils ne constituaient pas une hérésie manifeste[11] ». Et, en 1484, Innocent VIII, dont les mœurs personnelles n'étaient guère édifiantes, publia une bulle exhortant les prélats allemands à renforcer la chasse aux sorciers, qu'ils appartiennent à « l'un ou l'autre sexe ».

Or, l'un de ses conseillers visait spécialement les sorcières.

Jacques Sprenger, supérieur des dominicains de Cologne, très écouté à Rome, était obnubilé par les questions sexuelles, éprouvant pour elles à la fois attirance et répulsion extrêmes. Ce qui n'était guère original dans le monde religieux de l'époque, à en croire les textes que celle-ci nous a laissés. Et ce qui ne le fut pas davantage, pour autant qu'on puisse le savoir, dans la plupart des religions depuis les premiers temps de l'humanité.

Au centre de cette obsession : la femme. À la fois vénérée, désirée, exaltée pour sa beauté et sa fécondité, et crainte pour les mêmes raisons, considérée comme une énigme puisque donnant la vie par des mécanismes longtemps mystérieux, créatrice donc, mais aussi destructrice puisque la Mort est femme, suscitant des désirs qui provoquent rivalités et guerres, faible et « fatale » à la fois[12].

Ainsi la belle déesse hindoue, Kali, mère du monde, qui donne vie à la nature tout entière mais répand mort et faim, et attend qu'on lui sacrifie chaque année des milliers d'animaux. Ainsi Pandora, avec sa boîte bourrée de malheurs. Ainsi Platon, philosophe révéré s'il en est, qui se demandait s'il ne conviendrait pas de « mettre la femme entre l'homme et la bête brute[13] ».

Dans la Bible des Juifs, quelques femmes montrent certes de grandes qualités[14], mais c'est par Ève que le mal pénètre dans le monde. Et de nombreux textes bibliques, bien des règles qui leur sont imposées aussi, manifestent pour les femmes une considération pour le moins limitée. Dans la littérature non biblique, elles ne sont pas mieux traitées : le Livre d'Henoch n'en est qu'un exemple.

Dans le Nouveau Testament, en revanche, Jésus les traite tout autrement. À tel point que ses disciples, à plusieurs reprises, ne le comprennent pas. Et, signe des signes, une femme, Marie Madeleine, est le premier témoin de sa résurrection. Mais ceux que l'on appelle les Pères de l'Église, nous l'avons assez vu dans les premiers chapitres de ce livre, ne suivront pas toujours sur ce point son enseignement. Au Moyen Âge enfin, « le christianisme, a écrit avec modération l'historien Jacques Le Goff, a bien peu fait pour améliorer la position matérielle et morale de la femme[15] ».

Il a, certes, tout à fait raison. Mais il ne s'agit pas seulement, au Moyen Âge comme au début de la Renaissance, de l'Église catholique.

Les médecins de l'époque voient en la femme une créature inachevée, inférieure. Ainsi, au XVIe siècle, le savant médecin Levinus Lemnius, humaniste chrétien ayant fait ses études à Gand et à Louvain, s'interroge-t-il gravement sur le fait qu'une femme noyée flotte sur le ventre à la surface de l'eau tandis que l'homme flotte sur le dos... Dans son livre *Les Occultes Merveilles et Secrets de nature*, publié en 1574 à Paris et qui connut un grand succès, il l'explique ainsi : le mâle, représentant la chaleur et la lumière, regarde naturellement vers le ciel, Dieu, tandis que la femelle est liée à l'humide et au froid. Il affirme aussi – comme nombre d'auteurs – que l'homme sent naturellement bon tandis que la femme « abonde en excréments » et « rend une mauvaise senteur ». Une thèse venue de loin : le Romain Pline l'Ancien avait écrit déjà que le contact du sang des règles détruisait les fleurs et les fruits, et faisait perdre au fer son tranchant[16].

Une telle littérature, dont n'est évoquée ici qu'une faible part, était alors largement répandue et acceptée. Et, paradoxalement, au temps de la Renaissance, où la raison affirmait ses droits, les hommes éclairés s'y associèrent. La femme, à leurs yeux, représentait la nature. La nature qu'ils voulaient justement dominer. Cette domination était la condition nécessaire à la construction de la civilisation qu'ils entendaient bâtir. Pour eux, la campagne de persécution des sorcières pouvait être assimilée à la purification, au profit de la raison, d'un passé réprouvé.

L'irrationnel et le rationnel firent ainsi alliance aux dépens de ces femmes. La chasse aux sorcières ne doit pas être mise sur le seul compte d'une Église retardataire, inquiète et dominatrice, mais aussi sur celui des hommes de progrès.

L'astronome Johannes Kepler, savant dont les lois sur les mouvements des planètes autour du Soleil sont bien connues, vit sa mère accusée de sorcellerie en 1615. Elle avait des dons de guérisseuse, l'allure et le comportement attribués généralement aux sorcières : maigre, teint basané, bavarde et acariâtre. Elle pratiquait aussi l'astrologie. L'acte d'accusation la rendit presque coupable de tous les maux survenus dans la région, mort de deux enfants, jeune femme emmenée hors du village « par le diable », paralysie d'un homme, sans compter l'ensorcellement des bestiaux.

Kepler la défendit, fit annuler la procédure pour vice de forme – sans doute en utilisant ses relations et en payant qui il fallait. Mais il la croyait fautive, considérait que toutes les accusations n'étaient pas fausses. « Je connais, écrivit-il, une femme dont l'esprit torturé n'a pas fait progresser la culture, ce qui n'a rien de bizarre chez une femme [*sic*] mais qui, de plus, trouble l'autorité de la ville et se met soi-même dans une détresse pitoyable. » Bien plus, il ne la détourna pas de l'astrologie : « L'astrologie est certes une fillette folle mais, Seigneur, que serait donc sa mère, cette astronomie si raisonnable, si elle n'avait sa fillette folle ? Le monde est tout de même beaucoup plus fou encore. [...] Et le salaire des mathématiciens est si maigre que la mère souffrirait de la faim si sa fille ne gagnait rien[17]. »

On notera que parmi les reproches de Kepler à sa mère figurait le trouble qu'elle aurait apporté à l'« autorité de la ville ». Le pouvoir politique, qui s'affermissait à l'époque, considérait le monde de la sorcellerie comme une sorte de contre-pouvoir. Et lutter contre les sorciers et sorcières permit aux princes et aux rois d'affirmer leur majesté. D'autant que l'Église avait besoin de leur aide dans son combat. En Dauphiné, les magistrats laïcs prirent le relais des inquisiteurs et découvrirent des sorcières par centaines[18]. Les juges du roi passaient donc avant ceux du pape, et paraissaient parfois plus rapides et sévères que les dominicains.

Voici donc trois alliés dans la chasse aux sorcières : l'Inquisition catholique, les « modernistes » et le pouvoir civil. Mais il en est un quatrième : les protestants.

En 1574, est publié à Genève un livre de Lambert Daneau, pasteur, théologien et juriste, tenu en haute estime par les calvinistes, qui s'alarme du « nombre infini de sorciers », nobles ou paysans, savants ou ignorants, qui sont répandus dans toute la France. Et qui s'indigne de la tolérance dont ils jouissent. Il souhaiterait, lui, des sentences plus sévères. Il est loin d'être le seul.

Certes, il arrive que dans plusieurs affaires de sorcellerie ou de possession les catholiques s'en prennent aux protestants. Mais ils sont parfois alliés. Si bien que l'historien Marc Venard[19] peut voir dans la chasse aux sorcières un « grand combat œcuménique ». À cette époque, un chanoine de Cavaillon, César de Bus, compare la situation des catholiques et des protestants à celle de deux adversaires qui, prêts à se battre, voient venir le diable, « leur commun ancien ennemi, implacable et cruel au possible ». Conclusion du chanoine de Bus : la sagesse commande aux uns et aux autres de s'associer dans une « commune défense contre lui ». Marc Venard écrit : « D'une certaine façon, à la fin du XVIe siècle, les chrétiens de France, divisés mais condamnés à vivre ensemble, se sont réconciliés autour du bûcher où brûle l'instrument de Satan. » Une conclusion peut-être trop rapide, mais qui a le mérite d'attirer l'attention sur une vérité trop oubliée : dans cette « chasse », les inquisiteurs ne manquèrent pas d'aides.

Ensemble, ils ont construit un ensemble de représentations d'un monde souterrain et diabolique, d'un culte criminel, dont les théologiens et les démonologues – une nouvelle spécialité – ont dit qu'il s'attaquait, pour les détruire, aux fondements mêmes de la foi chrétienne.

XVI

Quand se déchaîne
la chasse aux sorcières

Elles sont, presque toujours, âgées. Les inquisiteurs, les témoins et les délateurs s'en prennent de préférence aux veuves et aux femmes restées sans époux, parce qu'elles ne sont pas protégées, qu'elles sont plus vulnérables.

Elles sont laides aussi, mal vêtues, édentées, échevelées, précédées d'un long nez pointu[1] entouré de verrues et d'excroissances diverses, parfois barbues, car sorciers et sorcières ressemblent souvent, par quelque trait, au bouc, animal maléfique : ils peuvent par exemple avoir des pieds fourchus.

Un livre publié pour la première fois en 1486 allait contribuer à faire de ces femmes les principales victimes de l'Inquisition. Il portait un titre significatif : le *Malleus maleficarum*, le « Marteau des sorcières »[2]. Il était l'œuvre de Heinrich Kramer et Jacques Sprenger, l'inquisiteur allemand conseiller du pape Innocent VIII. Ce Sprenger connaissait probablement le *Formicarius* de Jean Nider (voir p. 113) qui avait été imprimé pour la première fois dans sa ville de Cologne, en 1473. Et Kramer, l'autre inquisiteur, un Alsacien de Sélestat aussi appelé Institoris, jouissait d'une grande expérience de « terrain », car il avait mené avec succès de nombreux procès dans le sud de l'Allemagne et en

Autriche. Kramer avait pourtant déjà essuyé un échec cuisant : à Innsbruck, où il venait de faire interner quelques dizaines de femmes, la population s'en était scandalisée, à commencer par l'évêque. Lequel avait fait libérer les détenues, traité Kramer de gâteux et, usant de ses prérogatives, l'avait expulsé de son diocèse. Mais, après avoir rencontré Sprenger, Kramer sévit ailleurs et beaucoup plus largement.

Jacques Sprenger et Heinrich Kramer publièrent en effet ensemble, trois ans après la bulle du pape Innocent VIII exhortant les prélats allemands à intensifier la chasse aux sorciers de « l'un ou l'autre sexe », ce livre, le *Malleus*, qui s'en prenait presque uniquement aux sorcières et dont le retentissement fut considérable. Car il s'agissait d'un brûlot d'une véhémence rare, qui se plaçait sous l'autorité pontificale (la bulle était publiée dans les toutes premières pages du livre comme si les suivantes n'en étaient que l'application) et étudiait en 78 questions l'origine et le développement de l'« hérésie des sorcières ». Cette fois, la sorcellerie était clairement assimilée à une hérésie.

L'invention de l'imprimerie contribua beaucoup à l'influence du *Malleus*. En une trentaine d'années, il connut en effet une trentaine d'éditions, presque toutes en allemand (sauf deux à Paris et une à Lyon). Puis, après un « passage à vide », il fut réédité une vingtaine de fois (dont dix à Lyon), vers la fin du XVe siècle et jusqu'en 1669[3].

Le livre était parsemé de récits, de témoignages recueillis au cours des procès, considérés comme authentiques et bien choisis pour effrayer. Ainsi une femme accusée de sorcellerie expliquait-elle, lors d'aveux rapportés par les auteurs avec une apparente satisfaction, comment elle dépeçait les nourrissons ou les enfants mort-nés en les faisant cuire dans un chaudron jusqu'à ce que la chair se détache des os et devienne bien liquide : « De l'élément le plus solide, nous faisons un onguent qui nous sert pour nos artifices, nos plaisirs et nos transports. »

Cette utilisation – alléguée – du corps des nourrissons explique pourquoi les sages-femmes furent, plus que d'autres, accusées de sorcellerie. Nombre d'accouchements, alors, se terminaient mal, au désespoir des parents. L'enfant n'avait pas reçu le baptême, il n'irait pas au paradis. Ce qui ferait, pensait-on, le plus grand plaisir à Satan. L'idée que la sage-femme était la complice de celui-ci se répandait donc aisément. Le *Malleus* consacra à ces accoucheuses un chapitre entier, citant par exemple des cas où la sage-femme-sorcière enfonçait une aiguille dans le haut de la tête du bébé dès que celle-ci apparaissait.

Un curieux calcul accompagnait cette affirmation : les démons devaient être envoyés pour toujours aux supplices de l'enfer lors du jugement dernier ; or, celui-ci interviendrait quand le nombre des élus attendus par Dieu serait suffisant ; il s'agissait donc pour les sorcières et le diable de retarder autant que possible cette échéance en multipliant les assassinats de bébés. Ainsi les démons échapperaient-ils plus longtemps au châtiment éternel.

L'obsession sexuelle apparaissait partout. Les sorcières étaient accusées de recevoir la nuit, dans le lit même qu'elles partageaient avec leur mari toujours endormi, la visite d'incubes (démons masculins) avec qui elles « folâtraient ». D'autres auraient avoué collectionner des pénis. Mais les auteurs du *Malleus* devaient confesser qu'ils n'avaient jamais trouvé aucune de ces collections lors de leurs recherches : prudentes, arguèrent-ils, les sorcières les cachaient soigneusement, le plus souvent dans des nids d'oiseau. Des esprits frondeurs auraient pu en conclure que les inquisiteurs et leurs assistants ne savaient pas grimper aux arbres.

D'autres ouvrages racontaient des histoires du même genre, mais sans se borner aux accusations contre les femmes. Le *Malleus*, lui, dut une partie de son succès à son aspect pratique : il servit de guide, de code de procédure, aux inquisiteurs, donnant des exemples d'astuces qui permettraient de prendre en défaut les supposées sorcières, le libellé exact des questions à leur poser, les conditions dans lesquelles il était possible de demander le concours du pouvoir civil, et ainsi de suite. Jules Michelet, le grand historien du XIXe siècle, qui avait ses propres thèses – aujourd'hui récusées[4] – sur la sorcellerie et l'Inquisition, note avec justesse : « Le *Malleus*, qu'on devait porter dans la poche, fut imprimé généralement dans un format rare alors, le petit in-8°. Il n'eût pas été séant qu'à l'audience, embarrassé, le juge ouvrît sur la table un in-folio. Il pouvait, sans affectation, regarder du coin de l'œil, sous la table, fouiller son manuel de sottises. »

La chasse aux sorcières n'a évidemment pas commencé avec le *Malleus* puisqu'il en relate lui-même bien des épisodes. Mais elle prit alors son effroyable dimension.

À la même époque se développe l'idée d'un « pacte avec le diable ». Mais, si l'expression a fait fortune, la réalité est plus floue et a peu de rapports avec le célèbre *Faust* de Goethe publié au début du XIXe siècle.

La première description précise d'un pacte avec le diable se trouve dans *Le Miracle de Théophile*, œuvre tirée d'un texte grec du VIe siècle repris par Rutebœuf, le poète parisien, au XIIIe. Thomas d'Aquin, à la même époque, indique qu'il peut s'agir d'un pacte exprès (un véritable contrat, tel que le décrira avec dérision une chanson populaire du XXe siècle, « J'ai vendu mon âme au diable ») ou d'un accord tacite. Mais c'est à la fin du XVIe siècle que l'Anglais Christopher Marlowe écrivit *La Tragique Histoire du docteur Faust*. Ce dernier, intellectuel allemand qui vivait au tournant du XVe siècle, pratiquait la magie et aurait été finalement exécuté, avait, selon ce récit, offert son âme au diable, en échange de quoi celui-ci devait le soutenir entièrement pendant vingt-quatre ans...

Des siècles durant, cependant, l'idée d'un tel pacte fut peu répandue. Il s'agissait plutôt, pour des populations pauvres et en proie à divers malheurs, d'apaiser la puissance du Mal (appelée Satan par l'Église mais évoquée sous d'autres noms depuis la nuit des temps) ou encore d'obtenir d'elle une protection absolue.

Henri Estienne, imprimeur et fils d'imprimeur, humaniste et encyclopédiste du XVIᵉ siècle, évoque ainsi le cas d'une femme qui, après avoir donné une chandelle à saint Michel, en donnait aussi au diable qui était avec lui : à saint Michel, afin qu'il fît du bien ; au diable, afin qu'il ne lui fît point de mal. Une double assurance en quelque sorte. Jean Delumeau indique qu'en Bretagne, au XVIIᵉ siècle, des populations faisaient des offrandes au diable, qu'elles imaginaient être l'inventeur du blé noir. Et, après la moisson, les paysans jetaient des poignées de sarrasin dans les fossés qui bornaient les champs pour le remercier[5].

Le dualisme principe du Bien-principe du Mal était ainsi à nouveau illustré. D'ailleurs, les saints pouvaient aussi se montrer méchants, punir. Henri Estienne, encore lui, écrivait : « Chacun des saints peut envoyer la même maladie de laquelle il peut guérir. [...] Il y a des saints plus colères et plus dangereux que les autres : entre lesquels saint Antoine est le principal. » Il exista dans le Berry, indique Jean Delumeau, une fontaine consacrée à saint Mauvais « près de laquelle se rendaient et priaient ceux qui désiraient la mort d'un ennemi, d'un rival en amour ou d'un parent à succession. Heureusement, non loin de là, s'élevait une chapelle dédiée à saint Bon[6] ».

Le pacte avec le diable, tel que le décrivaient les inquisiteurs (qui tiraient leurs « informations » des réponses à leurs questions obtenues souvent sous la torture), pouvait alors se conjuguer avec des prières à Dieu ou à ses saints. Vers la fin du Moyen Âge, il devint exclusif, comme celui du docteur Faust. La personne qui le concluait devait en même temps blasphémer, nier Dieu ou L'insulter, cracher sur des hosties, et ainsi de suite. Il s'agissait de s'allier avec la seule puissance du Mal.

Par exemple, dans la province italienne du Frioul, en 1648, une jeune mendiante, dénoncée à l'inquisiteur par son confesseur comme sorcière et possédée depuis l'âge de sept ans, témoigna que deux sorcières l'avaient poussée à se donner au démon en raison des mauvais traitements que lui infligeaient ses parents : « Dame Giacoma et dame Sabbata m'ont instruite et éduquée en sorcellerie. [...] Elles m'ont dit de rester avec elles [...] de maudire la foi de Jésus-Christ et elles me menaçaient de me faire mourir si je ne le faisais pas, elles me disaient que jamais je ne connaîtrais la majesté de Dieu, que je devais maudire l'eau créée par Dieu et Dieu Lui-même son créateur[7]. »

Les inquisiteurs pensaient aussi, parfois, que le pacte avec le diable pouvait être plus formel, comme un contrat que la femme devait signer. Ainsi, au tribunal de Baden-Baden (en 1588), le juge devait demander à l'accusée « si le Diable a eu d'elle une signature, si celle-ci était de son sang, et de quel sang, ou à l'encre[8] ».

Les inquisiteurs imaginaient aussi que le pacte de la sorcière (ou du sorcier) avec Satan, accompagné pour la femme d'un accouplement, était signalé par une « marque » laissée par le Malin. Pierre de Lancre, conseiller au parlement de Bordeaux, chargé par Henri IV d'une enquête sur la sorcellerie au Labourd, dans le Pays basque, et qui décrivit les sorcières et leurs sabbats avec une véritable complaisance pour les détails scabreux, écrivit que « la marque imprimée par Satan à ses suppôts est de grande considération pour le jugement du crime de sorcellerie[9] ». Autrement dit : la « marque » faisait office de preuve. Seulement voilà : il pouvait s'agir d'un simple grain de beauté. Les juges ne détestaient pas, cependant, d'aller la chercher du côté de ce qu'un autre juriste de l'époque, franc-comtois celui-là, Henri Boguet, appela les « parties honteuses ».

139

L'accusée était alors dénudée et « tondue à ras selon l'usage[10] ». Certains comptes rendus de procès s'étendaient très longuement sur la recherche de la « marque » sur les femmes ainsi mises à nu[11].

Celles-ci racontaient – sous la torture – le sabbat, réunion avec le diable dans un lieu retiré, sombre et opaque. Certaines disaient s'y être rendues en esprit « en abandonnant le corps à la maison », l'esprit sortant par la bouche sous forme de rat ou de souris[12]. Mais, selon la plupart des aveux recueillis, « toutes les sorcières ont l'habitude de renier la foi [...] et de se donner au diable[13] ». Les descriptions de ces orgies, quand il s'agit de femmes, sont très détaillées. Beaucoup moins quand il s'agit de l'accouplement, rare, d'un sorcier avec le diable sous forme de succube.

Les démonologues s'interrogèrent gravement sur les effets des rapports sexuels entre sorcières et diable. Pouvaient-ils provoquer des naissances ? Embarrassés, ils conclurent pour la plupart, utilisant des explications aussi délirantes que diverses, que le diable était stérile et, bien souvent, les sorcières aussi. Le rapport entre l'un et l'autre n'avait pour but qu'une transmission de pouvoir, celui de la puissance du Mal.

Il existe une exception connue, celle des *benandanti*, généralement hommes, mais femmes aussi, qui, en Frioul italien, étaient de bons sorciers. Armés de tiges de fenouil, ils se rendaient, en rêve ou dans un délire semi-onirique, dans une vallée où ils s'attaquaient aux mauvais sorciers, armés, eux, de sorgho. Si les bons avaient le dessus, les récoltes étaient très bonnes, dans le cas contraire la famine menaçait. Les inquisiteurs se montrèrent généralement indulgents à leur égard. Mais ils eurent tendance aussi à confondre leurs assemblées nocturnes avec des sabbats diaboliques. L'Italien Carlo Ginzburg, qui a mis au jour cette étrange histoire, souligne que de telles traditions se retrouvaient en d'autres parties de l'Europe, Alsace, Suisse, Bavière, Lituanie notamment. Mais il conclut, prudent : « Pour le Frioul, nous avons la certitude que la diffusion de la sorcellerie diabolique s'opéra par déformation d'un rituel agraire antérieur. » Lequel mettait en opposition, à égalité donc, les puissances du Bien et celles du Mal[14].

L'historien des religions Mircea Eliade conclut : « En fin de compte, la "chasse aux sorcières" poursuivait la liquidation des dernières survivances du paganisme, c'est-à-dire, essentiellement, des cultes de la fertilité et des scénarios initiatiques. Le résultat en fut l'appauvrissement de la religiosité populaire[15]. »

Il est impossible de tirer un autre bilan, celui du nombre des victimes : elles étaient exécutées sommairement ou de manière scandaleuse sous les acclamations des foules complices, la sorcière étant d'abord mise à nu et fouettée. Certains historiens parviennent au chiffre de 50 000 exécutions (dont 80 % de femmes), d'autres à 100 000, la plus grande partie dans les pays germaniques et en Suisse, un peu plus de 1 000 en Europe du Sud, un peu moins de 3 000 en France et dans les pays voisins[16].

En 1657, une bulle pontificale, *Pro formandis*, blâma et interdit les poursuites contre les sorciers et sorcières. Les États nationaux se montrèrent plus sévères. La France n'interdit les poursuites qu'en 1682, la Prusse en 1714, l'Autriche en 1766, la Suède en 1779[17]. Et les procès en sorcellerie se poursuivent en Pologne ou au Portugal durant tout le XVIIIe siècle.

En Amérique « latine » coloniale, l'Inquisition « espagnole » (voir p. 237 n. 17) poursuivit son activité jusqu'au XIXe siècle. Mais elle ne visait pas uniquement – loin de là – les sorciers et sorcières. C'est ainsi qu'entre 1571 et 1823, le tribunal de l'Inquisition de Mexico instruisit près de deux mille procès contre des religieux pour « délits sexuels[18] ». En Europe, la plupart des inquisiteurs avaient trouvé entre-temps un autre champ d'action : ils traquaient les possédés. Qui étaient aussi, le plus souvent, des femmes.

XVII

Possédés et exorcistes

Cette religieuse se nomme Jeanne des Anges. Elle est prieure du couvent des Ursulines à Loudun, petite ville du Poitou, au cœur de la France. En septembre 1632, elle dit avoir rencontré des ombres tandis qu'une boule noire traversait, la nuit, le réfectoire du couvent. Alors, commence une histoire spectaculaire qui remuera la France entière.

Loudun n'est pas une ville vraiment paisible. Au début de cette année-là, la peste l'a frappée. Fort. Et, comme toujours, ses habitants se sont interrogés sur l'origine, diabolique, divine, ou, en fin de compte, naturelle, du fléau. En outre, protégée par une double ceinture de murailles, cette cité voit cohabiter, tant bien que mal et plutôt mal que bien, catholiques et protestants. À la fin des guerres de Religion, les protestants y dominaient mais des couvents catholiques s'y sont implantés.

Une rumeur, très vite, va courir : le diable est entré chez les ursulines, elles sont possédées par le Malin. Des exorcismes sont décidés, imposés aux religieuses. Un rituel d'exorcisme, appelé « Rituel du concile de Trente », vient justement d'être officialisé au début du siècle.

L'exorcisme est une pratique ancienne : on en a trouvé des traces dans certains textes sumériens du IIe millénaire avant J.-C. Il s'agissait de lutter contre les forces maléfiques qui tourmentaient une personne. Et si la Bible des Hébreux n'en donne aucun exemple précis, un texte retrouvé à Qumrân montre Abraham exorcisant « l'esprit de purulence » qui a frappé le pharaon. Au temps de Jésus, les exorcismes étaient pratiqués dans le monde juif pour chasser les démons (Mt XII, 27). Jésus lui-même en expulsa plusieurs (voir p. 36), mais sans utiliser les gestes magiques traditionnels.

L'Église naissante le fit aussi. Saint Martin, au IVe siècle, fut chargé de pratiquer les exorcismes par l'évêque de Poitiers, Hilaire. Mais il opérait discrètement, prenant soin de faire évacuer les lieux au préalable.

Ce n'est pas le cas à Loudun. On pratique les exorcismes sur la place publique. Et l'on applique le nouveau rituel, très spectaculaire. Un véritable théâtre religieux, quotidien. Car les possédées se multiplient dans le couvent. Elles sont présentées à l'exorciste afin d'être délivrées du démon. Ces séances attirent les foules, venues parfois de très loin. Ces jeunes femmes sont saisies de convulsions, déchirent leurs vêtements, profèrent des blasphèmes et des injures à connotations sexuelles. Et chaque jour ou presque, un démon nouveau se manifeste par la voix de l'une d'entre elles, fait des révélations que l'on enregistre avec sérieux. Celui qui possédait la mère Jeanne des Anges, ainsi que six autres religieuses, se nommait, disait-il, Asmodée[1]. Il fait accuser Urbain Grandier, curé de la paroisse Saint-Pierre du marché, de les avoir envoûtées.

Urbain Grandier était un personnage : fils d'un notaire royal, grand et bel homme, bon orateur. Mais il avait vexé les ursulines en refusant de devenir leur confesseur. Il présentait un autre défaut irrémédiable : il n'était pas de Loudun, il venait de la Sarthe. Enfin, et peut être surtout, il était soupçonné d'avoir écrit un pamphlet contre le tout-puissant ministre de Louis XIII, le cardinal de Richelieu.

Torturé, il proteste de son innocence. Mais l'on prétend avoir trouvé sur lui la « marque » du sorcier. Il est brûlé vif sur la place de Loudun, le 18 avril 1634.

L'affaire des « possédées de Loudun » est significative à bien des titres. Politique : Satan est mis au service de la raison d'État (le juge et commissaire royal qui préside à sa condamnation est un homme de Richelieu ; il voit dans le curé de Loudun un défenseur des privilèges locaux). Religieux : les couventines interrogées mettent en cause les protestants. D'autant qu'elles se sentent sur une frontière de la catholicité dans la région.

Enfin, quelques bons esprits de l'époque ne manquent pas, déjà, de voir dans leur comportement la manifestation de troubles psychiques[2] et critiquent donc les clercs qui se sont prêtés à cette théâtralisation.

Des médecins, des ecclésiastiques, des magistrats, soulignent ainsi dans divers écrits l'existence de maladies de l'esprit ou d'hallucinations collectives dans les affaires de possession.

Au XVIIe siècle, celles-ci se multiplient. En revanche, on évoque beaucoup moins le « pacte avec le diable » ou le sabbat des sorcières. C'est une évolution capitale : « Qui dit possession ne dit pas sorcellerie, écrit le père Michel de Certeau dans son livre sur l'affaire de Loudun. Les deux phénomènes sont distincts et se relaient alors même que bien des traités anciens les associent, voire les confondent[3]. »

En effet, qui conclut un pacte avec le diable reconnaît volontairement la puissance de celui-ci en espérant en tirer un profit personnel. De même, quand la sorcière se rend au sabbat et se donne au diable, elle le fait librement. Les démonologues, nombreux, et les juristes comme Jean Bodin[4] soulignent que Satan « demande une pure, franche et libérale volonté de ses sujets, et contracte avec eux par conventions ». Les sorcières n'ont donc aucune excuse, écrit Pierre de Lancre :

« Elles se donnent à lui, bien qu'elles sachent que c'est le diable[5]. »

Il en va tout autrement de la possédée. Elle n'a pas voulu conclure quelque pacte que ce soit avec Satan. Il est entré en elle contre sa volonté ou, du moins, sans qu'elle ait fait appel à lui. Elle est victime et non coupable. Et, à la différence de la sorcière qui se cache et agit la nuit, elle s'exhibe, hurle, jure, danse, se contorsionne.

Un rapport de 1599 sur l'exorcisme d'une certaine Marthe Brossier indique que Belzébuth lui enfle le ventre et lui courbe le dos vers l'arrière pour former presque un cercle. Il ajoute, il est vrai, que son père, l'emmenant de Romorantin à Paris, rameute les foules à chaque étape afin qu'elles assistent au spectacle – payant – de ses crises. On la mène « comme un singe ou un ours », écrit l'auteur du rapport[6].

Les cas de « possession » semblent alors plus nombreux dans les couvents de religieuses. À Aix, en 1610 c'est une ursuline, Madeleine Demandols, qui, au cours de séances d'exorcisme où elle prend des postures à connotations sexuelles, accuse un certain curé Gaudifry de l'avoir ensorcelée. À Lille, en 1613, des cas semblables sont signalés chez les religieuses de Sainte-Brigitte.

C'est que les couvents féminins se sont multipliés aux XVIe et XVIIe siècles. Il existe en effet depuis la fin du Moyen Âge une certaine promotion de la femme par la religion, qui se traduit notamment par l'augmentation du nombre de saintes reconnues par l'Église et la création d'ordres religieux féminins.

Cette promotion, certes, est limitée et ambiguë. La femme reste suspecte. L'acte sexuel, même dans le mariage et dans le but de procréer, est encore considéré quasiment comme un péché par les clercs s'il procure le plaisir. D'ailleurs, dans la société laïque, le statut de la femme mariée n'a cessé de se dégrader depuis la Renaissance. Les polémistes catholiques soupçonnent en outre les femmes d'être facilement attirées par l'« hérésie » protestante en raison de leur faiblesse intellectuelle et morale. Les polémistes protestants présentent les femmes catholiques comme des ignorantes et des débauchées.

Cependant, les guerres de Religion, suscitant les passions, ont créé un intérêt nouveau pour les questions doctrinales. Or, des femmes y participent, comme en témoignera bientôt la querelle du jansénisme. Les clercs préfèrent certes qu'elles restent soumises à l'Église et à ses lois, et qu'elles ne se mêlent pas de théologie : en 1607, la Sorbonne interdit à un dominicain de traduire en français l'œuvre de Thomas d'Aquin, guère suspect pourtant, de peur qu'elle ne soit lue par des femmes.

En revanche, le clergé leur prêche la dévotion. Le mysticisme se développe. La baronne Jeanne de Chantal, veuve à vingt-huit ans et mère de six enfants, rencontre François de Sales, évêque de Genève, et fonde à trente-huit ans l'ordre de la Visitation : celui-ci, d'abord voué à l'assistance aux pauvres et aux malades, devient bientôt contemplatif, s'enferme dans des couvents.

Le clergé, ces années-là, ne se borne pas à prêcher la piété jusqu'au mysticisme, il effraie pour éduquer ou discipliner. Et pour effrayer, il utilise toujours la peur de l'enfer et fait encore la publicité de Satan.

Les pasteurs luthériens en font autant. Ils multiplient dans le monde germanique les *Teufelsbücher* (« livres du diable ») qui dénoncent les vices et les péchés du monde et ont un succès considérable[7]. Les régions catholiques comme la Bavière en interdisent certes la diffusion mais, du coup, produisent leurs propres livres sur le même ton. Ceux-ci comme ceux-là expliquent que Satan n'a pas besoin d'un pacte, d'une adhésion volontaire pour prendre possession d'une âme.

En France, les écrits et les prêches brodent sur le même thème. Un écrivain bien oublié mais alors beaucoup lu, Pierre Boaistuau, a publié en 1558 un *Théâtre du Monde* qui conte minutieusement les misères de la vie humaine[8] et explique que « le diable s'est si bien emparé des corps et des esprits des hommes pour le jourd'huy » qu'il les a rendus « industrieux et ingénieux à mal faire ». Le même auteur a publié ensuite des *Histoires tragiques*, faits divers sombres et sanglants qui seront traduits en plusieurs langues ou plagiés. Le diable, bien sûr, y déploie sa puissance maléfique. L'édition de 1597 de telles *Histoires* s'orne d'un démon assis sur un trône et présidant un univers de cauchemar.

Puisque Boaistuau a du succès, il est imité. Un type de littérature fleurit dont les auteurs annoncent dès les premières lignes ou le titre qu'ils veulent faire pleurer et effrayer. Satan en est rarement absent. Les femmes sont ses premières victimes ou ses instruments. En outre, les « canards », courts textes vendus à la criée par des colporteurs, reprènent ces thèmes pour un public plus populaire. Ils répètent que l'homme est coupable ; ils rejettent l'image d'un Dieu bon, le décrivent au contraire vengeur et terrible, laissant agir Satan, l'incitant même parfois à multiplier ses méfaits. L'idée d'un diable agent de Dieu n'a donc pas disparu.

En 1619, à Agen où les protestants sont encore assez nombreux, un démon parlant par la bouche de femmes possédées annonce qu'il est envoyé par Dieu pour convertir les âmes et proclamer la collusion des protestants – promis à une ruine prochaine – avec le diable[9].

C'est dans ce climat qu'il faut situer le cas d'une possédée de Lorraine, Elisabeth de Ranfaing, qui accusa en 1621 son médecin d'avoir été le serviteur de Satan. Son histoire mérite que l'on s'y arrête, parce qu'elle illustre bien la plupart des cas de possession et qu'elle a été beaucoup étudiée et analysée[10].

Elisabeth de Ranfaing est née en 1592 d'un père rustre et d'une mère frustrée, sadique et protectrice à l'excès. Celle-ci inculque à sa fille la peur du péché, à commencer par celui « de la chair ». Elisabeth, qui est belle, refuse donc son corps dès la sortie de l'enfance, réprime de façon obsessionnelle ses pulsions sexuelles. Elle y voit, bien sûr, l'action du démon et pense à se faire religieuse. Mais on la contraint au mariage avec un homme beaucoup plus âgé, lequel lui donne six filles. À la mort de celui-ci, ses tourments la poursuivent, elle accuse son médecin Charles Poirot (qu'elle désire en réalité) de lui avoir fait avaler un philtre diabolique dissimulé dans un morceau de lard. Elle est certaine d'être possédée.

Charles Poirot est brûlé comme sorcier sans qu'elle s'en émeuve : c'est le démon qui est coupable. Elle subit alors de nombreux exorcismes, spectacles auxquels assistent notamment des religieuses. Enfin délivrée du démon, elle se crée, multipliant dévotions et déclarations, une réputation de sainteté, et assure qu'elle a bénéficié d'une révélation personnelle lui annonçant qu'elle était choisie par Dieu pour la conversion des pécheurs. En 1631, avec quelques sœurs, parmi lesquelles trois de ses propres filles, elle fonde l'ordre Notre-Dame-du-Refuge, « œuvre de rachat des prostituées ». Le docteur André Cuvelier, auteur d'une analyse psychiatrique de son cas, souligne : « De même que beaucoup de névrosés trouvent dans l'exercice du pouvoir un équilibre souvent sans faille vis-à-vis de l'observateur extérieur, allant même jusqu'à susciter l'admiration et l'enthousiasme, elle fait preuve dans la vocation de supérieure générale d'un esprit remarquablement pratique, organisateur et directeur. »

Elle va aussi, et surtout, jouer « à la sainte comme elle avait joué à la possédée », s'en prend aux clercs corrompus, distribue des médailles qu'elle dit bénites par la Trinité elle-même, regroupe les « médaillés » qu'elle dirige, semonce et gouverne comme sa mère l'avait fait dans sa jeunesse, et fait de ces ouailles une sorte de secte. Finalement, Rome la condamne en 1644.

De telles histoires éveillent, on l'a vu, le scepticisme de bien des esprits. D'autant qu'elles ne concernent plus, comme à Loudun, à Aix ou à Lille, des paysannes inconnues mais des notables habitant les villes. Des interrogations naissent sur la qualité des procès : en 1644, l'archevêque de Reims dénonce l'obscurantisme des « petits juges subalternes » qui, « sans prendre connaissance de cause, condamnaient à mourir sur simple conjecture ». Vingt ans plus tôt, d'ailleurs, le Parlement de Paris avait imposé l'appel de plein droit pour les sentences prononcées en matière de sorcellerie par les tribunaux de son ressort et, allant encore plus loin en 1640, avait renoncé à poursuivre les affaires de sorcellerie.

Les interrogations que font naître les histoires de possession concernent aussi Satan. Quand une femme comme Elisabeth de Ranfaing dit que Dieu l'a encouragée personnellement au Bien, comme Satan l'avait poussée au Mal, elle dégage sa propre responsabilité. Elle trouve en Satan un bouc émissaire. Et non plus un allié comme on le disait dans les affaires des sorcières. Si bien que le statut du diable est en cause. D'ailleurs, toutes les possédées font dire à leur démon quand il parle par leur bouche qu'il est entré en elles contre leur volonté. Par traîtrise. Contraint à se dissimuler par exemple dans le morceau de lard mangé par Elisabeth de Ranfaing... Il est sur la défensive.

XVIII

Le progrès et l'État contre la peur et le diable

Cette académie-là, créée un peu plus de vingt ans après l'Académie française du cardinal de Richelieu, ne fut pas immortelle. Elle n'existe plus depuis longtemps. Mais sa naissance, en 1657, dans l'hôtel particulier d'un riche Parisien, Henri Habert de Montmor, fut un signe remarquable de l'évolution des mentalités de cette époque. Ses statuts, en effet, stipulaient que « les conférences ne devaient pas consister dans un vain exercice de l'esprit à propos de subtilités inutiles ». En revanche, l'académie de Montmor devait « avoir en vue une meilleure connaissance des créations de Dieu, ainsi que l'amélioration des commodités de l'existence par le biais des Arts et des Sciences qui s'efforcent de les établir ». La création par Dieu n'est donc pas remise en question, mais « l'amélioration des commodités de l'existence par le biais des Arts et des Sciences » portera bientôt un autre nom : le Progrès. Et la croyance au Progrès finira par remplacer la foi en la Providence.

Dans la seconde moitié du XVIIe siècle, nombre d'esprits n'en sont pas encore là. Il faut pourtant souligner que des religieux étaient les initiateurs de forums scientifiques. Ce fut le cas de Marin Mersenne, né dans une famille paysanne mais élevé chez les jésuites, devenu franciscain dans l'ordre des Minimes, dont le couvent était situé à Paris près de l'actuelle place des Vosges, et qui entretenait une correspondance régulière avec des scientifiques de toute l'Europe, voire de Constantinople ou de Syrie. C'est dans sa cellule que Pascal rencontra Descartes.

Marin Mersenne gardait notamment des relations étroites avec les savants d'Angleterre où allait se créer une autre académie, née d'un groupe de scientifiques réunis au Gresham College. Ce groupe était présidé par le doyen de la cathédrale d'York et son animateur allait être un homme aussi oublié aujourd'hui que Mersenne, un Allemand né à Brême (dépendant alors de la Suède) qui avait parcouru toute l'Europe, était passionné par les découvertes de la science, Henry Oldenburg. Le souverain anglais Charles II donna bientôt au groupe de Gresham le statut officiel de « Royal Society ». Une nouvelle académie naissait à Londres, dont l'influence et le rayonnement seraient considérables. Un grand théologien anglais, Joseph Glanvill, qui l'admirait, la considérait comme « une banque de toutes les connaissances pratiques ». Il est intéressant de noter que figurait parmi les écrits de Glanvill un traité sur la menace de la sorcellerie[1].

Quand la science avance, Satan recule la plupart du temps. Son noir soleil commence à décliner vraiment dans la seconde moitié du XVIIᵉ siècle. C'est aussi à cette époque que le théologien hollandais Balthasar Bekker écrit une immense somme (quatre volumes dans l'édition française), afin de rétablir, dit-il, la gloire de la puissance de Dieu « autant qu'on la lui avait ravie pour en faire part au diable ». Il entend bannir de l'univers « cette abominable créature pour l'enchaîner dans l'enfer[2] ».

Ce Balthasar Bekker est un disciple de Descartes, lui-même proche de Marin Mersenne. Et Descartes se montre plus radical. Il s'en prend aux prédicateurs qui continuent à décrire les méfaits de Satan, pratiquant ce que Jean Delumeau appelle une « pastorale de la peur[3] » pour garder leurs ouailles dans le droit chemin, leur recommander la soumission à l'Église et le respect de ses enseignements. Lesdits prédicateurs, en effet, insistent tellement sur les pouvoirs de Satan qu'ils en font presque un égal de Dieu. « C'est présentement un point de piété que d'accompagner la crainte de Dieu de celle du Diable, dit Descartes[4]. Si l'on vient à contredire cette opinion, on passe aussitôt pour un athée, c'est-à-dire pour un homme qui nie l'existence d'un Dieu, quoiqu'il ne soit pourtant coupable que du crime de ne pas croire qu'il y en ait eu deux, dont l'un est bon, l'autre mauvais. »

Pour avoir pris aussi clairement cette position, hostile au dualisme principe du Bien-principe du Mal, Descartes fut condamné par les autorités religieuses. Dont le sentiment se trouvait exprimé – avec talent, certes – par un Bossuet décrivant à longueur de sermons un Dieu vengeur qui, pour punir l'humanité, accable Son propre Fils[5]. De sorte que le chrétien est amené à conclure que si Dieu fait tellement souffrir au Calvaire Son Fils bien-aimé, les humains damnés subiront de bien plus lourdes peines. Un jésuite italien, Paolo Segneri, en donne le détail. À entendre cet imaginatif, le feu de l'enfer « tiendra lieu de tous les supplices que l'on pourrait joindre ensemble. Il fera sentir tout à la fois l'ardeur des brasiers, le froid des glaçons, la piqûre des aspics, le fiel des dragons, les dents des lions, la violence des tortures, la dislocation des nerfs, le déboîtement des os[6] ». Et ainsi de suite. Les souffrances endurées au purgatoire ne sont pas plus légères. Rien, écrit le jésuite Houdig, « n'est comparable aux peines du purgatoire que celles de l'enfer ; elles sont les mêmes, à la durée et au désespoir près[7] ». Et bien peu nombreux sont ceux qui éviteront d'y passer, assure le discours officiel.

Les protestants ne sont guère plus rassurants. Il faut « amener toutes les âmes à trembler », écrit le puritain anglais Samuel Hieron dans ses consignes aux prédicateurs. Et ceux-ci en rajoutent volontiers pour ce qui est de la description des peines. Des pouvoirs de Satan aussi.

Il est difficile de mesurer l'influence exacte de telles menaces. À Paris et dans les grandes villes, semble-t-il, l'irréligion, parfois appelée libertinage, se développe chez les aristocrates et au sein de quelques cercles intellectuels. Le curé de la paroisse parisienne de Saint-Étienne-du-Mont note ainsi dans ses mémoires qu'il comptait, parmi ses paroissiens, « plusieurs libertins, athées, impies, déistes et indifférents, et plusieurs ignorants qui doutaient de tout[8] ».

C'est que les attaques fusent de plusieurs côtés. Le philosophe hollandais Spinoza, qui avait fait des études pour devenir rabbin avant d'être exclu de la communauté juive, réduit la Bible à un tissu de fables. Pierre Bayle, Ariégeois devenu professeur de philosophie à Amsterdam (polémiste et critique littéraire aussi), publie de 1695 à 1697 un *Dictionnaire historique et critique* qui déclare notamment indémontrable l'existence de Dieu ; ce livre ne comptera pas moins de dix éditions avant 1750.

Les milieux populaires sont évidemment beaucoup moins atteints par ce mouvement des idées. Certes, Emmanuel Le Roy Ladurie avait déjà remarqué l'existence, parmi les paroissiens de Montaillou, au Moyen Âge, d'anorexiques du sentiment religieux[9]. Mais Valentin Jamerey-Duval, un érudit du XVIIIᵉ siècle qui fut professeur à Lunéville avant de voyager à travers l'Europe, évoque avec quelque suffisance, après un passage dans un village, « la profonde ignorance où ce peuple croupissait par rapport à la religion ». Il ajoute, en revanche : « Pendant deux jours on ne me parla presque que de sortilèges, de maléfices, de loups-garous, de sabbats, de spectres et de tous les monstres que l'erreur a enfantés pour être les objets de la terreur et de la crédulité des sots[10]. » En dépit des efforts du clergé, dont la formation s'est améliorée au XVIIᵉ et surtout au

XVIIIᵉ siècle, les superstitions sont encore largement répandues dans le peuple tout au long du siècle des Lumières... et au-delà[11]. Jusqu'au XXᵉ siècle, l'Église prêchera un Dieu vengeur, attentif aux moindres fautes des hommes. Mais il existera encore, pour beaucoup, avec le diable ou ses suppôts... des accommodements.

Ces suppôts présumés font de moins en moins peur. Jean Delumeau suggère que la société européenne, aux différents niveaux de l'échelle sociale, est, vers la fin du XVIIᵉ siècle, moins inquiète : « L'habitant des campagnes (et à plus forte raison celui des villes) dut se sentir mieux protégé qu'auparavant, davantage pris en charge par l'autorité civile et surtout par le pouvoir ecclésiastique. Mon hypothèse est donc qu'un plus strict contrôle de la vie quotidienne par un État mieux armé et une religion plus exigeante diminuèrent dans une certaine mesure la crainte de maléfices. » Des situations absolument contraires peuvent cependant aboutir au même résultat : « Localement, l'arrêt de la persécution a pu être provoqué par une grave désorganisation de l'existence quotidienne : ainsi dans le Luxembourg et l'évêché de Bâle, soumis aux exactions de la soldatesque durant la guerre de Trente Ans. La justice s'y est trouvée paralysée et les habitants se mirent à redouter les hommes d'armes et les vagabonds plus que la sorcellerie[12]. »

La justice, ailleurs, s'est apaisée. Les plus grands magistrats, ceux du Parlement de Paris, ont mis un frein à l'ardeur des subalternes. Une évolution qui aboutira, en juillet 1682, à un édit royal « pour la punition des empoisonneurs, devins et autres ». Un titre trompeur, suivant une coutume chère aux pouvoirs politiques en matière de textes juridiques. Cet édit, en effet, qui ne reconnaît plus qu'une « prétendue magie », aboutit à transformer la sorcellerie en délit d'escroquerie et à ne retenir comme crimes véritables que le sacrilège et l'empoisonnement. Très probablement signé de Louis XIV, Colbert et Louvois, il correspond à une évolution de la mentalité des magistrats. L'historien Robert Mandrou, qui s'est beaucoup attaché à cette question, pense en effet que les juristes du Parlement ont peu à peu substitué « à une représentation du monde où les hommes vivent quotidiennement surveillés dans leurs moindres gestes par le Dieu du jugement dernier [...] et quotidiennement assaillis par le Prince des Ténèbres [...] une autre conception où la surveillance devient plus lointaine et l'intervention de Dieu ou du démon infiniment plus rare[13] ». Ils avaient eu, aussi, connaissance des excès des tribunaux appelés à juger des possédés.

Il n'est pas certain, pourtant, que les juges subalternes fussent partout désireux d'en terminer. Car les procès se concluaient d'ordinaire par la confiscation des biens des condamnés, et les juges étaient souvent payés à la pièce. Les officiers de justice s'offraient un repas aux frais du défunt ou de la défunte, quand les flammes du bûcher commençaient à s'éteindre. S'agissant des sorcières villageoises, la confiscation des biens n'était, certes, pas très rentable. Mais l'Allemand Spee von Langenfeld, confesseur de sorcières au XVII\ :sup:`e` siècle, note qu'en certains lieux « on ordonne une certaine somme d'argent par tête criminelle pour le salaire de ceux que le prince emploie dans ces procès comme jurisconsultes, inquisiteurs, etc. ; par exemple, quatre ou cinq thalers par tête. Or, qui ne voit ici que, pour cette seule raison, aucune vigilance ne peut être assez grande pour empêcher que l'espérance de gain ne corrompe la procédure[14] ». Il précise que les juges sont « payés selon le nombre de condamnés » et cite l'un d'eux qui avoue crûment : « Nous ne trouverions pas de sorcières, nous n'aurions que faire d'allumer des brasiers pour les brûler, et toutefois il nous importe de ne pas chômer et quitter une bonne besogne. Pourquoi ne travaillerions-nous pas, malgré toutes les lois et la raison même ? » Et pour « travailler », comme il dit, tous les moyens sont bons. Partout.

Dans l'Empire allemand, divisé en multiples principautés, les juges locaux sont plus indépendants. En France, les parlements peinent à se faire obéir par les juridictions inférieures qui, indique Robert Mandrou, « n'exécutent pas les arrêts généraux qui ont été pris, toutes les chambres assemblées, au nom du roi[15] ». Les parlements de Rouen, Pau, Toulouse ou Grenoble, notamment, renâclent à suivre les orientations de celui de Paris.

Il n'empêche : l'État, peu à peu, l'emporte. Les Églises lui avaient demandé de réprimer la sorcellerie, et il ne s'était pas fait prier. Au XVIᵉ siècle, la législation hostile aux sorciers s'était montrée toujours plus sévère aux Pays-Bas et en Angleterre[16]. Charles Quint, lui, dans la *Nemesis Carolina*, un gros livre de justice criminelle, édictait que quiconque avait fait « quelque tort à autrui », sans plus de précision, serait puni de mort et même « condamné au bûcher ». Mais quand l'empereur institue aux Pays-Bas une Inquisition d'État, il choisit un laïc pour la diriger, et le pape ne réussira jamais à lui imposer l'inquisiteur de son choix.

Autrement dit, l'Église a confié à l'État un pouvoir et il en a profité pour accroître le sien. En 1682, l'année même où Louis XIV signe un édit qui met un terme aux grands procès de sorcellerie, il inspire, par l'intermédiaire de Bossuet, une déclaration de l'Assemblée extraordinaire du clergé qui, en quatre Articles, affirme l'indépendance de l'État à l'égard de l'Église et lui accorde un pouvoir indirect sur celle-ci, réduisant celui du pape. Ce dernier réplique en cassant les décisions de cette Assemblée du clergé et en réduisant les libertés de l'ambassadeur de France.

Les difficultés rencontrées ensuite par Louis XIV[17] allaient amener Rome et Paris à se rapprocher. Mais le roi avait affirmé davantage son pouvoir. Son soleil éblouissant était monté très haut tandis que celui du diable descendait. Il en fut ainsi dans la plupart des États européens. La répression de la sorcellerie avait servi l'absolutisme.

XIX

Et si le Mal venait de l'homme ?

Satan, pourtant, ne lâche pas prise si rapidement.

Il ne suffit pas, en effet, que cesse peu à peu la chasse aux sorcières, parce que les peuples sont las des violences, aspirent à la paix, à l'intérieur comme aux frontières.

Il ne suffit pas davantage que scientifiques et médecins démontrent peu à peu que les volontés divines ou diaboliques ne peuvent expliquer tous les accidents de la vie. Ni que plusieurs philosophes commencent à écrire, prudemment, que le diable n'est qu'un symbole du Mal. Car ils ne sont lus que par ceux qui savent lire, bien sûr, et ils ne sont entendus que dans des cercles restreints. Tandis que l'on enseigne toujours la doctrine ancienne dans les sermons des prédicateurs et les collèges de jésuites.

Il ne suffit pas, non plus, que l'enfer soit peu à peu moins représenté que le purgatoire dans les églises et les images pieuses. Car on ne détruit ni les tableaux ni les sculptures anciennes. D'ailleurs, les images du purgatoire qui apparaissent au tournant de ce siècle ne sont que des transpositions, parfois à peine adoucies, de celles de la damnation éternelle. Ce sont toujours des démons qui règnent là, détiennent les instruments de torture et entretiennent les feux où se contorsionnent, nus, des humains des deux sexes.

Il ne suffit même pas que se développe alors le culte de Marie, les catholiques étant invités à prier cette médiatrice, pour les âmes du purgatoire justement. Mais si, dans la plupart des pays méditerranéens, son image surplombe, occulte presque celles des grottes infernales, le diable s'y montre toujours, même vaincu, sous les pieds de la Vierge, ou percé par la lance de l'archange saint Michel.

Voici pourtant que les théologiens entrent en lice. À la suite du Hollandais Balthasar Bekker (voir p. 151). C'est ainsi qu'en France le religieux Pierre Le Brun publie en 1702 une *Histoire critique des pratiques superstitieuses qui ont séduit les peuples et embarrassé les savants*, ouvrage qui est approuvé par l'Académie des sciences, grâce notamment à Fontenelle. Tandis qu'en Angleterre John Webster, qui a pourtant le goût de l'atroce, publie un livre imputant les « mauvaises actions » aux humains et non à Satan. Le Mal, donc, est « intériorisé », gît au cœur de l'homme. Une idée qui germait depuis des décennies.

Ainsi Jean-Jacques Olier, le fondateur des Sulpiciens, écrivit-il en 1657 – mais ne semble pas l'avoir publié... – un texte mystique, *L'Âme cristal*, hardi pour l'époque, qui analysait les rapports entre Dieu et l'homme[1]. L'homme n'y est pas très bien traité, c'est le moins que l'on puisse dire. Que l'on en juge par cette citation : « Ô monstre effroyable que l'homme ! Ô malignité épouvantable ! Ô composition misérable, de voir une chair qui est composée de tant de passions et désirs déréglés et désordonnés qui à toute heure s'échappent comme ils veulent quand ils ont liberté. [...] Les mouvements de l'homme, et tous les sentiments dont ils sont composés, ne sont que des bêtes farouches et entre elles composées de toute malignité. » Et ainsi de suite...

Mais si l'homme est ainsi abaissé, de façon insupportable, considéré d'abord comme pécheur, monstrueux, on ne trouve guère mention de Satan dans ce texte. Seulement une allusion, une seule, en passant, au fait que la « malignité » de l'homme est « descendue du démon ». Olier ne s'y attarde pas davantage. Il ne regarde pas vers le bas, qui ne l'intéresse pas. Pour lui, le Mal est en l'homme. Qu'il l'écrive avec un grand excès est évident, surtout si on compare sa rhétorique aux enseignements des Évangiles. Mais – voilà l'important pour notre sujet – Satan ne joue plus les premiers rôles. Le Mal du monde est l'œuvre de l'homme. Sauf s'il s'unit à Dieu.

Cette « intériorisation » du Mal va progresser, au détriment de Satan bien sûr, chez les théologiens tout au long du XVIIIe siècle.

Mais voici qui fera plus de bruit que leurs textes. En 1729, l'Anglais Daniel De Foe, auteur du très célèbre *Robinson Crusoé*, publie une *Histoire du diable*, traduite en français à Amsterdam. Il ne nie certes pas l'existence de Satan, mais son pouvoir. Contrairement à beaucoup d'auteurs et au sens de bien des pratiques, il ne le met pas sur un pied de quasi-égalité avec Dieu. Car Satan, dit-il, « craint Dieu ». D'ailleurs, « il ne saurait ni empêcher ni avancer notre perte » : elle dépend de l'homme. Certes, le diable peut nous influencer, agir sur nos esprits, mais nous pouvons lui résister[2].

L'astucieux Daniel De Foe dresse même une liste d'hommes d'État que Satan a poussés à mal agir et qui ne lui ont pas fait obstacle. On y trouve Richelieu et Mazarin, mais aussi des Anglais et le duc d'Albe, celui-là même à qui le pape Pie V avait envoyé une précieuse épée bénite pour le féliciter d'avoir massacré des milliers de protestants hollandais.

Le débat prend bientôt beaucoup d'éclat. Une bibliographie établie en 1900[3] a recensé 122 livres sur ce thème, édités entre 1730 et 1740. Il faut citer notamment un médecin de Coutances, François de Saint-André, qui publie alors un livre au titre aussi explicite qu'interminable : *Lettres à quelques-uns de mes amis au sujet de la magie, des maléfices et des sorciers. Où il rend raison des effets les plus surprenants qu'on attribue ordi-*

nairement aux démons et fait voir *que ces intelligences n'y ont souvent aucune part.*

Pour François de Saint-André, « Dieu permet au diable d'agir » mais seulement « à certaines occasions » et en limitant son pouvoir à celles-ci. Comme l'écrit l'historien Robert Muchembled, Saint-André est « un croyant apaisé qui définit un diable lointain tenu en tutelle par un Dieu transcendant, tout le reste sur terre pouvant s'expliquer par le regard médical et scientifique[4] ».

Un essai de synthèse donc, une sorte de compromis, qui déclencha pourtant des tempêtes. Les démonologues ne s'avouaient pas vaincus. Quelques affaires de possession éclatèrent bien à propos pour appuyer leurs réponses à Saint-André. La plus retentissante concernait une Provençale, Catherine Cadière, qui se trouva enceinte des œuvres d'un père jésuite, Jean-Baptiste Girard. Elle avorta, puis accusa celui-ci de l'avoir « enchantée », comme on disait, ensorcelée si l'on préfère. Le religieux riposta en la traînant en justice, l'accusant de « contrefaçons de sainteté et de possession ». Le parlement d'Aix acquitta le jésuite mais se montra bien indulgent pour la jeune femme. Il la condamna seulement aux dépens, pour « calomnies ». Les médias n'étaient pas ce qu'ils sont, mais l'affaire avait agité toute la France. Une cinquantaine d'imprimés de toutes origines en témoignent[5].

De nombreuses histoires couraient encore les campagnes. Ainsi, celle en Savoie de Jeanne Gras, « laboureuse » et cordière, accusée d'avoir jeté un sort à un enfant de Machilly, village proche de Douvaine. L'enfant est bientôt saisi de convulsions. On le dit possédé. On ajoute que la femme Gras porte dans son tablier des braises, qu'il ne brûle pas pour autant, que ses mains non plus ne sont pas atteintes. Et un voisin, alerté par le grand bruit qui règne dans sa maison au beau milieu de la nuit, aperçoit par la fenêtre cette Jeanne et quelques compagnes tenant « synagogue » (il faut noter ce terme) en compagnie de boucs, de corbeaux et de chats. Un personnage noir de corps et portant queue de bouc, comme il se doit, préside l'assemblée et se fait « baiser le derrière » par tout ce petit monde.

Arrêtée, Jeanne Gras avoue tout ce qu'on veut, ajoute même qu'elle se rend au sabbat dans un marais depuis l'âge de dix ans, parfois portée par une plume d'aile de perdrix… Elle sait aussi battre à coups de verge la rosée du matin pour en faire un brouillard qui s'en va tomber sur les arbres fruitiers afin d'en faner les fleurs.

Jeanne Gras est donc condamnée, pendue et étranglée à Chambéry. Son corps est brûlé et ses cendres jetées au vent[6].

C'est en 1715 que se tient ce procès. La partie n'est donc pas encore jouée.

Satan, pourtant, est attaqué de tous côtés. Il entre en littérature. Ce qui est nouveau (Shakespeare, notamment, l'avait presque oublié) mais permet à divers auteurs de le traiter légèrement. Tel La Fontaine, dès le XVIIe siècle, dans sa fable *Les Animaux malades de la peste*.

La peste, dans la mémoire collective, toujours longue, était alors le pire des drames : « Un mal qui répand la terreur », écrit le fabuliste. Lequel ajoute – ce qui mérite attention – « Mal que le Ciel en sa fureur inventa pour punir les crimes de la terre ». C'est donc l'image d'un Dieu vengeur et cruel qui apparaît ici, peut-être due à La Fontaine, mais, on le sait, très répandue par les prédicateurs.

Après avoir décrit la catastrophe, les animaux qui s'enfuient et meurent, le fabuliste y revient. Le roi des animaux, le lion, les rassemble en effet pour évoquer d'abord le « céleste courroux » et affirmer qu'il s'agit de payer ainsi les péchés commis par les uns ou les autres. Que chacun s'accuse et s'offre en sacrifice au « Ciel » pour l'apaiser.

Les puissants, évidemment grands pécheurs, se dérobent, font corps pour se trouver les uns aux autres mille excuses. Voilà donc un des enseignements de la fable, l'une de ses « morales », celle que l'on retient d'ordinaire.

Mais c'est au tour de l'âne de prendre la parole. Il se souvient, dit-il, que passant par un pré (pas n'importe lequel, celui des « moines »)

> *La faim, l'occasion, l'herbe tendre, et je pense,*
> *Quelque diable aussi me poussant,*
> *Je tondis de ce pré la largeur de ma langue.*

Ce qui est bien peu. Mais le fait condamner : on crie « Haro sur le baudet ». Soulignons l'apparition du diable dans cette histoire. « Quelque diable » : donc un diablotin parmi d'autres. Il a poussé l'âne à la faute. Pas plus, cependant, que la faim, l'occasion ou l'herbe tendre... Il est toujours là, mais dans quel état... guère plus important que l'occasion ou l'herbe tendre.

Son pouvoir est plus marquant dans *Le Diable boiteux* de Lesage, publié en 1707 : il y joue les premiers rôles. L'affaire commence mal pour lui, puisqu'il est prisonnier (le diable prisonnier !) dans un bocal magique. Un étudiant, nommé dom Cléophas, l'en ayant libéré, il est quand même capable de faire survoler Madrid à celui-ci et d'enlever les toits des maisons pour le faire pénétrer dans l'intimité des petits et des grands. Tout cela sur un mode plutôt plaisant. L'affaire se termine presque comme un conte de fées : le diable, pour remercier l'étudiant, lui ménage un riche mariage. Ainsi semble-t-on quitter le domaine du diabolique pour entrer dans celui du merveilleux.

Lesage a ouvert une voie, que beaucoup, à sa suite, empruntent. Alain Massalsky, auteur d'un mémoire sur *La Sorcellerie en France au XVIIIe siècle*[7], a tenu un compte scrupuleux des ouvrages de fiction faisant alors mention du diable, quelque nom qui lui soit donné : il en a décompté des centaines. Les auteurs de ces textes ne sont pas tous oubliés : on y trouve, entre autres, Marivaux et l'abbé Prévost. Moins connu, Jacques Cazotte publie en 1772 un *Diable amoureux* qui mérite attention. D'abord par son contenu : le démon tombe dans un piège qu'il avait lui-même tendu ; il est séduit par sa victime... L'histoire du livre vaut d'être contée. Car l'auteur en a écrit trois versions. Les deux premières présentaient un diable plutôt « traditionnel », tel qu'on eût pu le mettre en scène deux siècles auparavant. Or, les réactions des lecteurs ont mené Cazotte (qui a raconté lui-même l'évolution de son texte d'une version à l'autre) à affaiblir considérablement le diable et à parler de son action comme d'une « illusion » en soulignant lui-même ce mot. En outre, dans un poème, *Olivier*, le même Cazotte fait avouer par Satan à son héros : « Vous voyez, quoi qu'on en dise, que je ne fais pas toujours du mal. »

Le héros en question avait été envoûté par une fée-oiseau nommée Strigilline. Voilà donc que le démon a des concurrents, souvent beaucoup plus aimables (les contes de fées érotiques se multiplient d'ailleurs en ce siècle). Il a aussi des rivaux dans le roman fantastique, développé surtout en Angleterre. Matthew Gregory Lewis y publie en 1796 un livre intitulé *Le Moine* où fantômes et squelettes hantent de mystérieux châteaux. Un genre qui fleurira, comme les contes de fées, au siècle suivant.

Le passage du diable en littérature se termine donc par un échec. Un auteur oublié, Mandeville, médecin hollandais, a même publié en 1714 une *Fable des abeilles où les vices privés font le bien public*, dans laquelle il raconte qu'une ruche étant devenue un modèle de vertu, bien des gens (serruriers, juges, avocats... et même vignerons) perdent leur emploi et meurent de faim ; si bien que l'on rétablit les vices pour retrouver la prospérité... Mais Satan n'a rien à voir dans cette histoire[8]. Il est aussi oublié par Sade : dans les orgies que celui-ci décrit, les hommes ont pris la place des démons. Et Sade souligne que « les choses étant égales du point de vue de la nature, il vaut infiniment mieux prendre parti parmi les méchants qui prospèrent que parmi les vertueux qui échouent[9] ».

Ce siècle ne cache guère un goût prononcé pour la sexualité. De nombreux livres en témoignent qui, saisis par la police, sont toujours réédités clandestinement et veulent démontrer que l'aristocratie, les couvents, les pensionnats, sont en vérité des mondes de débauche[10]. Le phénomène n'est pas seulement français : en Angleterre, John Cleland raconte les aventures et les succès de Fanny Hill, prostituée de haut vol. Et Rétif de la Bretonne est le premier à utiliser le mot « pornographie », en 1769, à propos d'un écrit sur la prostitution.

L'existence de ces livres démontre qu'une barrière a été brisée. Il n'y est pas plus question du diable que de Dieu. La peur de l'enfer n'existe pas davantage que la crainte du péché. C'est une véritable révolution des croyances et des mœurs qui précède l'autre, celle qui interviendra à la fin du siècle.

Il est vrai que les libertins, comme on les appelle, qu'ils soient auteurs, acteurs ou lecteurs, ne forment qu'un petit monde à Paris, Londres, ou dans quelques châteaux. Mais certains s'inspirent aussi des philosophes. Ces cercles ne sont pas étrangers les uns aux autres. Voltaire en fournit bien des signes. Il va plus loin encore : il écrit au prince royal de Prusse, en 1738, que le plaisir est la preuve de l'existence de Dieu, car « physiquement parlant », il « est divin [...] tout homme qui boit du vin de Tokay, qui embrasse une jolie femme, qui, en un mot, a des sensations agréables, doit reconnaître un être suprême et bienfaisant[11] ». Voici donc le plaisir et la raison associés à la foi en un « être suprême ». Mais celui-ci n'est pas défini, identifié, à la différence évidente du Dieu des Églises chrétiennes. La formule employée par Voltaire s'apparente en somme à celle des braves gens qui disent : « Il y a quelque chose au-dessus de nous. » L'Allemand Emmanuel Kant ira plus loin en écrivant : « Notre siècle est particulièrement le siècle de la critique à laquelle il faut que tout se soumette. La religion alléguant sa sainteté et la législation sa majesté veulent d'ordinaire y échapper ; mais alors elles excitent contre elles de justes soupçons et ne peuvent prétendre à cette sincère estime que la raison accorde seulement à ce qui a pu soutenir son libre et public examen[12]. »

Le culte de la raison se propage alors. Les médecins y prennent une part trop méconnue. Ils sont chaque jour moins nombreux à croire en la possession d'un corps par un être nommé Satan. Ils cherchent et trouvent des explications nouvelles aux « maladies convulsives » dont les origines étaient attribuées au diable. Ils découvrent parfois un appui chez les prêtres, mieux formés dans la seconde moitié du XVIIIe siècle. Si bien que ceux-ci les aident, par exemple, à répandre le vaccin contre la variole. À ce propos, un curé du département de l'Ourthe (dans la future Belgique) écrit, en 1805 : « La Lumière a enfin percé nos chaumes et les ténèbres des préjugés se sont dissipées[13]. » L'on croirait lire un philosophe des Lumières ou un scientifique.

Or, ceux-ci sont en étroites relations. Les académies provinciales qui s'étaient multipliées depuis la fin du XVIIe siècle pour évoquer les lettres s'intéressent de plus en plus désormais aux sciences, deviennent des sociétés savantes. Dans toute l'Europe. En Italie du Nord par exemple, ces académies publient des almanachs populaires qui parlent de Newton, des frères Montgolfier, de la découverte d'une nouvelle planète, Uranus, à côté de prévisions astrologiques de type traditionnel[14]. En Angleterre, le déclin de la Royal Society (voir p. 151) est compensé par la multiplication de sociétés scientifiques provinciales (qui contribueront par ailleurs à la naissance de la révolution industrielle). Et il en va de même en Allemagne. L'art suit et parfois précède le mouvement. Florence honore même Galilée dans les immenses nefs de la Santa Croce.

Voltaire, encore lui, dressant une sorte de cartographie du « progrès de l'esprit humain[15] », imagine un voyage de la Raison, accompagnée de ses deux « intimes amies », l'Expérience et la Tolérance, et suivie de l'Agriculture et du Commerce. En Italie, la Raison est repoussée par « la Congrégation de l'Index ». Mais elle finira, pense-t-il, par l'emporter : « Le pays des Scipions ne sera plus celui des Arlequins enfroqués. » Et si elle se heurte en Bavière ou en Autriche à « deux ou trois grosses têtes à perruques aux yeux stupides », elle a été très bien reçue de Moscou à Stockholm, et de Londres (où, depuis longtemps, elle a reçu ses « lettres de naturalité ») à Berlin. Voltaire croit même constater qu'en Espagne ou au Portugal les bûchers de l'Inquisition ne sont « plus si souvent allumés » (p. 237 n. 17). Ce qui ne se vérifiera pas au début du XIXe siècle.

Ce mouvement des idées prend d'autant plus d'ampleur que le nombre des Français qui savent lire se multiplie sans doute par quatre au cours du XVIIIe siècle. L'enseignement secondaire est littéralement engorgé. Et le phénomène n'est pas propre à la France.

La diffusion des thèses des philosophes et des scientifiques, leur vulgarisation, voire leur simplification, s'accompagnent d'un certain recul du christianisme. En France, l'Église est toujours divisée par les querelles du jansénisme[16]. Les parlements sont invités à intervenir, ce qui attente au pouvoir des évêques. Lesquels ne sont guère appuyés par le roi Louis XV. Celui-ci, d'ailleurs, affichant son adultère avec Mme de Mailly[17], refuse officiellement à Pâques 1739 de se confesser et de communier mais reprend la pratique des sacrements cinq ans plus tard, à la suite d'une grave maladie. Un autre événement, plus décisif, intervient en 1762 : les jésuites sont chassés du royaume[18]. Un conflit éclate entre les évêques et les parlements sur la direction des collèges qu'ils sont obligés de quitter. Ce qui se traduit par une certaine « sécularisation » de l'éducation.

Une amorce de déchristianisation se dessine à Paris, dans les grandes villes et même dans certaines régions rurales. Certes, la plus grande partie de la population reste attachée à la foi traditionnelle et, en 1789, personne ne peut imaginer la tournure antireligieuse que prendra dans les années suivantes la Révolution. Mais les événements de ces années-là montreront bien que l'Église et la foi chrétienne avaient auparavant perdu du terrain.

Le relatif recul du christianisme ne signifie pas la fin des superstitions. Au contraire. L'Église officielle, certes, quelque peu emportée par le courant rationaliste, lutte contre le miraculeux. Ainsi des curés du diocèse de Tarbes prennent-ils l'initiative de demander à leur évêque de supprimer les rites liturgiques de lutte contre les orages. Mais les paysans, eux, ne le comprendraient pas. Le curé d'Auriébat (Hautes-Pyrénées) souligne même, avec esprit, que si les prêtres arrêtaient les sonneries de cloches destinées à faire obstacle à la grêle et aux orages, ils seraient « foudroyés » eux-mêmes par les habitants. Ce curé voudrait bien, lui, inspirer à ses ouailles plus de confiance en un paratonnerre électrique qu'il fait dresser sur le clocher. « Mais, ajoute-t-il, afin que l'instrument inventé par Benjamin Franklin parût doué de quelque vertu, il faudrait qu'il fût consacré par quelque bénédiction dont les physiciens n'ont pas témoigné faire assez de cas jusqu'à présent[19]. » Religion officielle et religion populaire ne concordent donc pas toujours. Au XIXe siècle, lorsque l'Église se lancera dans une vaste offensive de reconquête, elle s'appuiera davantage sur la religion populaire et en inventera de nouvelles formes, comme les grands pèlerinages[20].

Au XVIIIe siècle, cependant, bien des coutumes magiques subsistent. Ainsi croit-on toujours en Creuse, mais aussi en Bretagne, en Poitou ou en Touraine, au « sabbat des chats » : la réunion nocturne, au soir du Mardi gras, de nombreux félins qui se battent ou dansent sous la direction d'un gros matou noir, lequel incarnerait le diable. Ainsi, dans le Bourbonnais, des sorciers râpent encore le cierge pascal : ces morceaux peuvent délivrer des coliques, des fièvres et aussi des maux de dents. Car ils sont toujours là, les sorciers. Les archives du parlement de Pau révèlent l'existence, dans la seconde moitié du XVIIIᵉ siècle, d'une pléiade d'exorcistes, de magiciens, d'enchanteurs, circulant dans les campagnes béarnaises[21].

Mais les sorciers de ce temps-là ne se réclament pas toujours de Satan, loin de là. Pour une simple raison : parce que l'on commence à vivre mieux. Au moins dans certains pays, certaines régions, quelques villes et plusieurs zones rurales. Or, dans les siècles précédents, les temps forts de la sorcellerie ont souvent coïncidé avec ceux de la misère.

L'Europe occidentale traverse encore des crises, mais l'économie se développe. Le commerce mondial est en hausse. La population aussi. L'Angleterre, qui est à la pointe du mouvement, comptait 5 835 000 habitants en 1700, mais plus de 8 millions en 1790. L'agriculture y contribue autant, sinon plus, que l'industrie[22]. Pour la première fois, cependant, on obtient, en 1780, un fil de coton à la fois fin et résistant. C'est la « révolution du coton », dont les toiles concurrencent bientôt les indiennes dans toute l'Europe. Et le continent colonise, crée à travers le monde des comptoirs, construit des navires, monte des établissements financiers et développe de grandes « Compagnies des Indes » qui sont déjà des multinationales[23].

Or, les relations sont multiples et intenses entre l'économie, sa traduction dans la vie quotidienne, le mouvement des idées, l'évolution des États et l'ensemble des phénomènes religieux. Ce changement du monde – de l'Europe plutôt – n'est pas favorable à Satan. Il n'est pas disparu. Mais son image s'estompe et se brouille.

XX

Bizarreries de la Révolution
et de ses suites

Quelques-uns, à quelque bord qu'ils appartiennent, pourraient penser que l'époque de la Révolution représente – si l'on peut oser dire – un temps de paradis pour Satan. D'autres qu'il s'évanouit.

La réalité n'est pas si simple.

Certes, il ne se fit pas oublier. Mais il ne joua pas les premiers rôles. Et son image, déjà trouble, se brouilla davantage encore.

1808. La Révolution française est tout à fait terminée. Mais elle a bouleversé les esprits et les cœurs, redessiné les frontières de l'Europe, et bousculé les Églises. Un Anglais qui en fut un fougueux partisan, William Blake, poète et peintre, représente Satan (observant Adam et Eve) transformé en bel ange juvénile. Il ne porte pas plus de bouc que de cornes, il sourit, charmant. Mais c'est bien lui. Le diable en personne.

1808 encore. Napoléon s'est mis en tête d'annexer l'Espagne à l'Empire. Une guerre de plus. Terrible. Goya peint un ogre vieillissant qui dévore un jeune être au corps gracile et tendre. L'ogre a des traits de Saturne, ou de Moloch. Pas plus rassurant l'un que l'autre. Mais c'est bien, lui, Satan. Le diable en personne[1].

Il est donc toujours là. On ne passe pas si facilement à un univers sans Dieu ni diable. On ne se débarrasse pas si aisément des religions et des anciennes croyances. L'Anglais William Blake, d'ailleurs, l'auteur de la gravure où le démon semble si séduisant, l'a bien compris. L'homme, dit-il, doit « avoir de la religion ». S'il ne connaît pas celle de Jésus, il lui faut embrasser celle de Satan[2].

Voilà quelqu'un qui parle clair. Les révolutionnaires français, eux, étaient moins nets. Ils ont voulu mettre l'Église au pas, sans ménagement, lancé même une offensive de vandales contre les « signes extérieurs », comme ils disaient, de la foi chrétienne : croix, calvaires et statues ont été en bien des endroits mutilés. Mais Jacobins et Montagnards ont tâtonné à la recherche d'un culte de remplacement. Ils ont fini par célébrer à Notre-Dame de Paris « le triomphe que la raison vient de remporter sur les préjugés de dix-huit siècles ». Seulement voilà : ils ne savaient pas faire, ils n'avaient pas la manière. Leur « culte de la Raison » avait des allures théâtrales. Vers la femme qui la symbolisait, qui en était le centre, ne montait aucune prière. Ce fut un échec.

Robespierre, ensuite, lui substitua le « culte de l'Être suprême » (qui disparaîtra avec lui). Cette fois, il ne s'agissait plus de théâtre et d'acteurs. Tout le peuple était invité à concélébrer : femmes, vieillards, enfants devaient chanter des hymnes, réciter des prières de gratitude à cet Être mal défini, jeter vers le ciel des bouquets pour lui rendre hommage, se draper de mille couleurs où dominaient le bleu, le blanc et le rouge. Cette religion-là, ou cette pseudo-religion, eut même ses inquisiteurs et son enfer : les tribunaux révolutionnaires et les échafauds de la Terreur. Mais elle ignora le diable.

Que voulait vraiment, que croyait vraiment Robespierre qui fut son prophète et son pontife ? Les historiens en débattent encore.

À la fête de l'Être suprême, il portait le plus gros bouquet, composé d'épis, de fleurs et de fruits. Il fit halte d'abord devant un groupe de monstres : l'Athéisme, l'Égoïsme, le Néant, etc. « Il y mit le feu, raconte Jules Michelet qui ne l'aimait pas ; et du groupe consumé surgit, libre de son voile, la statue de la Sagesse. Malheureusement, elle parut, comme on pouvait s'y attendre, enfumée et noire, à la grande satisfaction des ennemis de Robespierre[3]. »

Michelet, plus soucieux d'idéologie que d'histoire exacte, s'énerve : « Que de telles scènes se passassent chez les bonzes de l'Inde, aux pagodes du Tibet, rien de mieux ; mais à Paris, le lendemain de Voltaire, en plein "contrat social" ! et que ce fût le fils même de Rousseau et du rationalisme, le logicien de la Révolution, qui acceptât, qui encourageât ces outrages à la Raison, cela était honteux et triste[4]. »

Il y eut pis à ses yeux, et pas seulement aux siens. Un curieux cercle, une secte si l'on veut, réunit alors, dans un appartement-chapelle parisien, quelques initiés autour d'un ancien moine chartreux, dom Gerle, et d'une certaine Catherine Théot qui se fait appeler la « mère de Dieu » et prétend, comme bien d'autres, que les temps de l'Apocalypse sont venus.

Michelet raconte : « Des royalistes y allaient, des magnétiseurs, des simples, des fripons, des sots. Jusqu'à quel point un homme aussi grave que Robespierre pouvait-il être mêlé à ces momeries ? On l'ignore. »

D'autres prétendent qu'on ne l'ignore pas du tout[5]. Michelet, d'ailleurs, le laissait lui-même entendre. Il raconte que la dame Théot – « la vieille », l'appelle-t-il – avait installé trois fauteuils : un blanc sur lequel elle siégeait, un rouge pour l'ex-chartreux, un bleu enfin, « "le fauteuil d'honneur", à la droite de la Mère de Dieu. N'était-ce pas pour un fils aîné, le Sauveur qui devait venir ? ». Et il y voit « l'essai d'une association grossière entre l'illuminisme chrétien, le mysticisme révolutionnaire et l'inauguration d'un gouvernement des prophètes ».

Michelet, qui nourrissait une vive sympathie pour les « sorcières » victimes de l'Inquisition, des femmes pré-révolutionnaires à ses yeux, s'en prend volontiers à Robespierre, « né dans une ville de prêtres, élevé par la protection des prêtres », mais il est bien obligé de constater que la Révolution ne fut pas ce qu'il eût rêvé. Pour lui, l'homme devait demander l'illumination à son propre ciel intérieur, et voilà qu'il se livrait à des « forces opaques » (il ne précise pas lesquelles), cherchait l'illumination venue des « puissances célestes ».

Les anciennes pratiques réapparaissaient dès qu'elles le pouvaient. Ainsi, en floréal de l'an IV républicain (mois qui couvre une partie d'avril et de mai), le jour de « la ci-devant Ascension », le commissaire du canton de Saint-Victurnien dans le Limousin constate, pour le déplorer, que deux à trois mille personnes se sont rassemblées afin de prier autour du « crâne d'un soi-disant saint ossement qui a échappé aux mesures révolutionnaires » et de l'implorer « pour la guérison de tous les maux ! ».

« Le temps, écrit encore Michelet, était au fanatisme. L'excès des émotions avait brisé, humilié, découragé la raison. Sans parler de la Vendée où l'on ne voyait que miracles, un Dieu (dès 1791) était apparu en Artois. Les morts y ressuscitaient en 1794. Dans le Lyonnais, une prophétesse avait eu de grands succès. […] En Allemagne, les sectes innombrables des illuminés s'étendaient non seulement dans le peuple mais dans les hautes classes. »

La Révolution, bien sûr, ne limitait pas ses effets à la France. Mais ses armées, devenues conquérantes, n'exportaient pas seulement, on le sait, le culte de la liberté et celui des droits de l'homme. Elles occupaient les territoires conquis de la manière dont la plupart des armées occupent : sans égards ni ménagements.

Leurs chefs, anticléricaux, poussaient la troupe à mutiler les crucifix et à parodier les processions. Ils faisaient entrer leurs chevaux dans les églises ou laissaient la troupe y organiser des fêtes avec des prostituées. Telle fut, du moins, leur réputation. Si bien que dans les Flandres, qui deviendraient plus tard belges, ou en Rhénanie, il arriva à l'occupant français d'être considéré comme un nouvel Antéchrist. Des milliers de pèlerins se jetèrent sur les routes pour prier en signe de protestation. Des miracles alimentèrent leur ferveur. Des visionnaires annonçaient des lendemains radieux ou terrifiants. Les amateurs d'exorcismes ou de guérisons surnaturelles prêchèrent la contre-révolution[6].

En Italie, où les intellectuels avaient accueilli avec sympathie les premiers événements français, l'installation des armées de la Révolution, leur arrogance, leur lutte contre l'Église, suscitèrent souvent les mêmes réactions. Bonaparte proclama certes en 1797 la nécessité de respecter la religion « comme la propriété », mais c'était un peu tard. Partout étaient annoncés des miracles qui provoquaient des insurrections. À Gênes, un crucifix se mettait à parler, Marie apparut à Arezzo (Toscane) ; dans les Pouilles enfin, en 1799, une statue du Christ encouragea les citoyens à la résistance en leur promettant le renfort de légions d'anges armés d'épées de feu[7].

Puis vint le temps de l'Espagne et ses massacres, et le sang, les martyrs et la folie du Mal. Une partie des intellectuels avait depuis longtemps adhéré aux idées de liberté et de progrès. Mais quand, en 1808, Napoléon y envoya ses troupes, la réaction nationaliste, patriotique, fut presque unanime. Elle se traduisit par une véritable insurrection, mais aussi, dans le peuple, par la foi en des miracles hostiles aux Français, le crédit accordé à des prophètes de tout poil, les rumeurs de phénomènes surnaturels.

Tout développement du rationalisme, nous l'avons assez constaté, suscite une égale floraison d'attitudes et de croyances irrationnelles. La réaction nationaliste contre l'envahisseur la multiplia. Dans toute l'Europe.

Satan n'y apparaissait guère dans les premiers temps. En France, quand les passions s'apaisèrent sous l'Empire, on le vit à peine, dans quelques livres ou quelques pièces, presque confiné au comique. Ainsi, un livre plutôt licencieux publié au tournant du siècle et intitulé *Un pot sans couvercle et rien dedans* se termine par cette prière à lui adressée : « Toi qui envoies les vapeurs à nos dames et des coliques à nos élégans...[8] » Un bien modeste et ridicule rôle pour le Prince des Ténèbres.

Ailleurs, les mouvements de l'Histoire et ses drames posèrent avec une rare force la question du Mal.

Notamment, revenons-y, en Espagne où Goya peint avec un violent réalisme les folies de la férocité humaine. Il ne voit guère de bons et de méchants, de tueurs et d'innocents, mais des misérables, chacun dans leur rôle, tous enfermés dans leur rôle.

Dans enfermé, il y a enfer.

Goya peint aussi des satans et des sorcières, mais ce n'est pas leur laideur pittoresque ni leurs oripeaux qui l'intéressent. D'ailleurs, il écrit en marge d'un dessin qui les représente : « L'auteur rêve. Il ne se propose que de bannir de nuisibles croyances populaires et de perpétuer [...] le ferme témoignage de la vérité[9]. »

Ce qui l'intéresse davantage, le passionne, le torture, c'est le cauchemar du monde, la nuit de l'homme.

Il annonce, rejoint Baudelaire (qui lui consacrera un essai), Baudelaire qui, avec quelque affectation, proclamera : « Ô mon cher Belzébuth, je t'adore », Baudelaire qui découvre en lui-même des abîmes, Baudelaire en qui Barbey d'Aurevilly verra « du Dante, mais du Dante d'une époque déchue, du Dante athée et moderne, du Dante venu après Voltaire ». Baudelaire qui écrit en préface des *Fleurs du Mal* (1840 environ, recueil de poèmes publié en 1857) :

C'est le Diable qui tient les fils qui nous remuent !
Aux objets répugnants nous trouvons des appas ;
Chaque jour vers l'Enfer nous descendons d'un pas,
Sans horreur, à travers les ténèbres qui puent.

Baudelaire, écrivant ainsi, représente l'aboutissement d'une mode satanique qui a déferlé sur la littérature et l'art européens dans un deuxième temps : après les guerres de l'Empire. Peut-être en raison des ravages des guerres napoléoniennes et du désarroi des esprits au lendemain des tourments révolutionnaires. Et parce que les curés revenus dans les églises reprennent leurs prédications sur la malfaisance du démon et entretiennent la crainte de l'enfer. Aussi parce que les victoires de la raison à la fin du XVIIIe siècle poussent une génération d'écrivains et d'artistes à explorer tous les chemins de l'étrange. Également parce que la révolution industrielle, le flamboiement et les fumées des machines à vapeur et les conditions de travail qu'elles imposent donnent naissance à une autre image du Mal : ainsi en Angleterre appelle-t-on l'usine « The Satanic Mill », la fabrique du diable.

Pourtant, la présence et les bienfaits de la médecine et de la science sont de plus en plus visibles. Quand Mme Bovary, la malheureuse héroïne du roman de Gustave Flaubert, arrive avec son mari à Yonville, cette jeune femme élevée au couvent rencontre M. Homais, pharmacien, scientiste et athée convaincu. La flamme verte des pharmacies manifeste dans le moindre bourg la présence nouvelle et bienfaisante de la science. Comme le beffroi de la commune et la haute cheminée de l'usine, elle est un signe qui concurrence le clocher. Flaubert écrit : « Ce qui attire le plus les yeux, c'est, en face de l'auberge du "Lion d'Or", la pharmacie de

M. Homais. » Et afin que son propos soit bien clair, il ajoute : « Il n'y a ensuite plus rien à voir dans Yonville. » Le lecteur le moins averti comprend que le médicament guérit plus que la prière.

Ces mouvements multiples s'entremêlent pour donner une nouvelle chance à Satan. Il est à nouveau dans le mouvement de la mode. Et comme la mode est la mode, elle emporte tout. Avant de se démoder.

Le diable, alors, est donc partout. Chez Balzac, chez Vigny, chez l'Allemand Hoffmann (dans une œuvre écrite sous pseudonyme), chez l'Irlandais MacNish, et même dans la *Symphonie fantastique* de Berlioz, dont le cinquième mouvement décrit une nuit de sabbat. Il apparaît aussi dans des livres d'épouvante, nombreux surtout en Angleterre, dont le plus connu est *Frankenstein*. L'écrivain Mary Shelley, à la suite de conversations avec Byron, y écrit l'histoire d'un savant qui porte ce nom et rassemble dans les cimetières des morceaux de corps pour construire un être humain sans âme, animé de passions animales et très fort, puissant dans le Mal, conscient de ses défauts. Ne pouvant trouver l'amour, cet être anonyme fait tout le Mal qu'il peut.

Or, et voilà l'important, le diable se présente comme la victime d'un Dieu terrible. L'image se répand alors d'un diable victime d'une injustice divine, et bientôt d'un allié de l'homme, cette autre victime. Alfred de Vigny écrit en 1824 *Eloa ou la Sœur des anges*, qui insiste sur la souffrance de Lucifer, l'ange déchu. Eloa, protectrice des anges, cherche à rencontrer celui-ci. Il lui explique avoir été rejeté parce qu'il avait aimé et tenté de sauver les hommes. L'histoire se termine mal. Mais Vigny travaille ensuite à un autre poème dans lequel Eloa finit par libérer Lucifer.

Hugo, lui, compose au milieu du siècle une longue épopée, qui n'est certes pas son œuvre la plus poétique, *La Fin de Satan*. Celui-ci est pécheur, mais il en souffre, comme l'homme. Une plume tombée de son aile se transforme en un bel ange – féminin – nommé Liberté.

Avec la permission de Dieu et du diable, l'ange Liberté encourage l'humanité à se rebeller contre le Mal. Cette révolte est victorieuse. Pourtant, Satan, malheureux, a le sentiment d'être encore haï par Dieu. Celui-ci, enfin, le réconforte :

> *L'archange ressuscite et le démon finit,*
> *et j'efface la nuit infâme, et rien n'existe.*
> *Satan est mort, renais, ô univers céleste !*
> *Remonte hors de l'ombre avec l'amour au front[10] !*

Voilà donc Lucifer redevenu le porte-lumière, comme son nom l'indique, le bon ange. Libéré de l'horrible Satan, réduit à l'état de cadavre. Mais ce ne sont ni l'Église, ni Dieu, qui l'ont vaincu. C'est l'ange Liberté, et c'est la révolte de l'humanité. C'est elle qui est capable de vaincre le Mal. Et non les prières, les sacrifices et les exorcismes en tous genres. Parce que le Mal est au cœur de l'homme. Il ne lui est pas, il lui est de moins en moins, extérieur.

Telle est la vision romantique, et Lucifer en est le malheureux héros, même si quelques-uns, comme Renan, l'appelleront encore Satan : le diable a été affublé de tant de noms et de pseudonymes qu'il est permis de se tromper. Et Renan écrit que, « de tous les êtres autrefois maudits, que la tolérance de notre siècle a relevés de leur anathème, Satan est sans doute celui qui a le plus gagné au procès des Lumières et de l'universelle civilisation[11] ». Renan se trompe, on va le voir. Mais il est vrai que le diable, quelque nom qu'on lui donne, connaît alors un répit, change même de visage. Il devient une victime – sous le pseudonyme d'Éliphas Lévi, un prêtre, l'abbé Constant, écrit qu'il a été injustement condamné –, un révolté, certes (George Sand, dans *Consuelo*, le présente comme « l'archange de la révolte légitime »), mais aussi un être angoissé qui cherche un sens à son destin.

Il est vrai que, en dépit des progrès de l'imprimerie et de la diffusion du savoir, ce renversement de l'image satanique n'atteint encore qu'un monde relativement restreint. Mais le diable a perdu de son caractère terrifiant : au milieu du XIXᵉ siècle, en 1865, la comtesse de Ségur publiera un livre à succès intitulé *Un bon petit diable*. Satan n'apparaît guère dans cette histoire où un pauvre gamin subit les avanies d'une méchante mère Mac Miche. Mais on n'eût pu imaginer, quelques décennies plus tôt, associer l'adjectif bon au mot diable[12]. Celui-ci va pourtant opérer bientôt un nouveau retour en force. Avec la plupart de ses effrayants attributs.

XXI

Le bric-à-brac de l'irrationnel au temps de Freud et de Nietzsche

Ils sont six millions. À cette époque, c'est énorme. Six millions de visiteurs, donc, à se presser durant l'été 1851 aux portes de la première Exposition universelle de Londres. Tous les pays du monde ont été invités à présenter les réalisations les plus modernes de leurs industries. Ces machines à feu, de fonte et d'acier sont réunies dans un étonnant bâtiment, un gigantesque bateau de métal et de verre construit en six mois – six mois seulement – grâce à la mise au point d'éléments préfabriqués. Par des ingénieurs des chemins de fer. Lesquels tiennent les premiers rôles de la révolution industrielle.

Depuis une vingtaine d'années, en effet, des trains tirés par des machines à vapeur sillonnent l'Angleterre. Le premier n'allait que de Liverpool à Manchester : une centaine de miles. Mais, en 1850, on compte déjà six mille miles de voies ferrées.

La première locomotive française, elle, a été construite au Creusot, en 1838, par les frères Schneider. Un navire à vapeur a relié pour la première fois l'Amérique à Hambourg en 1847 : il ne lui a fallu que dix-huit jours pour réussir cette traversée. Et le mouvement ne s'arrêtera pas : en 1878, Graham Bell inventera le téléphone ; en 1886, Carl Benz mettra au point la première voiture à essence.

Ce mouvement n'atteint pas seulement l'Europe. En 1869, le Japon, pressé de rejoindre les rangs des pays industriels, abolit les droits féodaux. Des hommes et des femmes, par centaines de milliers, par millions, quittent les villages et les champs, parfois leur pays, pour s'entasser dans les villes. Ils se révoltent vite contre leurs conditions de travail. En 1866, s'est créé aux États-Unis un Syndicat national des ouvriers qui revendique la journée de huit heures.

Ce bouleversement laisse-t-il une place à Satan, ses démons et ses sabbats de sorcières ? On est tenté d'en douter. C'est pourtant le contraire qui va une fois encore se produire, du moins dans un premier temps.

D'abord parce que le diable et ses troupes n'ont jamais déserté les campagnes, lesquelles, bien sûr, ne se vident pas subitement de tous leurs habitants.

Dans les veillées du Limousin, on conte toujours des histoires de damnés qui ont pris la forme de loups-garous, ou d'« eschantis », d'âmes errantes qui dansent, lumineuses, dans la nuit[1]. Les sorciers de Normandie font toujours de bonnes affaires et tiennent congrès – disons sabbat – sur le mont Margantin, au sud de Domfront, la nuit de la Saint-Jean : Satan en personne y préside sous l'apparence d'un bouc noir qui fait danser, nus, sorciers et sorcières venus même de Haute-Bretagne[2]. Dans le Périgord, selon Eugène Le Roy, auteur du célèbre roman *Jacquou le Croquant* (1899), il existe un personnage « plus puissant et plus terrible que le diable », appelé « l'Aversier », souvent cité dans les contes : l'intéressant, cette fois, est la puissance de ce personnage. Voilà le diable dépassé en incarnation du Mal ! Ce qui signifie une déchéance.

L'Aversier, quoi qu'il en soit, a des rivaux ou des imitateurs un peu partout. Dans le Berry, on craint le courtilier qui fait perdre les récoltes, le meneur de nuées qui attire l'orage sur le village voisin, ou encore le caillebotier qui attire la maladie sur les troupeaux.

Tous ces méchants, ces suspects, sont en général des nomades : bergers, vagabonds, ou gitans, bien entendu. Des « étrangers ».

Évidemment, l'institution ecclésiale se soucie de ces croyances et de ces pratiques. Mais avec moins de rigueur semble-t-il. Elle veut d'abord en mesurer l'importance. Ce que font par exemple à Orléans, en 1850, Mgr Dupanloup, ou l'évêque d'Annecy, Mgr Rendu, en 1845. Ils lancent des enquêtes – pratique nouvelle – dans leurs diocèses. L'État s'en mêle aussi. On dispose d'une étude réalisée par la préfecture de Moulins (Allier) : un questionnaire auquel ont accepté de répondre 175 curés et qui concerne, entre autres, les « croyances aux devins et aux sorciers[3] ».

Un tiers des prêtres nient l'existence de « superstitions » dans leurs paroisses, peut-être afin d'en terminer plus vite avec cette enquête, soit pour manifester qu'ils ont réussi à éradiquer ces habitudes, soit, tout simplement, parce que c'est vrai.

D'autres signalent que certaines croyances subsistent seulement « dans l'esprit de quelques vieillards simples ou de bonnes femmes ».

La majorité des prêtres, cependant, relèvent que l'on croit, sinon aux « devins » et aux « sorciers » du texte préfectoral, du moins aux jeteurs de sorts ou aux désensorceleurs (qui sont parfois une seule et même personne) : un homme ou une femme qui sait « ôter le feu » du corps d'un brûlé, arrêter l'écoulement du sang d'une plaie, ou, à l'inverse, multiplier les maléfices pour faire périr les bêtes, « couper le lait » des vaches.

Or, la magie et la religion ne se distinguent pas toujours dans les mentalités. D'autant que l'Église ne décourage pas – loin de là – le culte des saints qui sont censés guérir de telle maladie. Les médecins, les vrais, constatent que la plupart des pratiques extramédicales sont mêlées de prières ou de rites religieux : le désensorceleur, parfois appelé « sorcier », récite des Ave et des Pater, multiplie les signes de croix, éventuellement à l'envers ou horizontalement. En 1860, l'Association générale des médecins de France demande à ses adhérents de recenser ces gens qui sont en quelque sorte des concurrents. Elle finit par publier, l'année suivante, une statistique portant sur trente-deux départements. On y décompte 242 rebouteux et 220 femmes, parmi lesquels 164 artisans et marchands, 92 cultivateurs et... 163 membres du clergé[4]. En outre, si toutes ces personnes n'appartiennent pas aux milieux les plus misérables et les moins instruits, il en est de même pour ceux qu'ils soignent.

Enfin, les colporteurs diffusent des opuscules aux titres évocateurs : *Le Livre d'or du curé de campagne, Le Vrai Médecin des pauvres* (qui énumère les « saints guérisseurs ») ou *L'Almanach du Père Lajoie*. Certains colporteurs vendent aussi, à prix d'or, deux livres aussi mystérieux que célèbres, *Le Grand Albert* et *Le Petit Albert*[5].

Ces deux ouvrages remonteraient, assure-t-on, à saint Albert, Albert le Grand, théologien et philosophe du XIIIe siècle qui eut pour élève à Paris, entre autres, Thomas d'Aquin. Cet Albert le Grand aurait rassemblé dans la seconde partie de sa vie de multiples recettes orientales ou occidentales de médecine, d'alchimie, de magie – parfois rédigées de façon à paraître inintelligibles –, lesquelles furent éditées, farcies d'ajouts divers, quatre siècles plus tard à Lyon. À en croire une tradition populaire qui perdure, ces deux livres sont quasiment maudits, considérés comme des encyclopédies de secrets diaboliques imprimées par des damnés ; le livre, dit-on, fait courir de grands dangers à qui n'est pas sorcier, à commencer par celui d'être possédé. L'auteur (ou les auteurs) semblent avoir poussé pourtant à la lecture, ménagé le suspense, puisque plusieurs éditions portent au bas de certaines pages, en grosses majuscules rouges, une sorte de mise en garde : « Tourne la page si tu es assez hardi. » La légende veut aussi que ces livres, jetés au feu, ne brûlent pas, sautent du brasier ou explosent sans se détruire.

La vérité veut que, dans toute la première moitié du XIXᵉ siècle, sous l'Empire et la Restauration notamment, la vente de ces livres fût interdite. Aujourd'hui, on peut aisément se les procurer. Leur lecture est plus décevante que celle de bien des almanachs[6]. Mais leur colportage et leur réputation vraiment sulfureuse contribuaient beaucoup, à la fin du XIXᵉ siècle et au début du XXᵉ, à la croyance aux pouvoirs des sorciers et des jeteurs de sorts, et en d'étranges remèdes aussi.

Le retour ou la persistance des diableries semble avoir finalement quelque peu désemparé l'Église. Vers le milieu du XIXᵉ siècle, ses prédicateurs et ses catéchistes parlaient moins de l'enfer et de ses habitants. Dans bien des sacristies traînaillaient pourtant quelques catéchismes du siècle précédent qui se moquaient – prudemment quand même – des histoires de sorciers. L'Église toléra aussi ou tenta de « christianiser » des pratiques qui, quelques siècles plus tôt, eussent amené leurs auteurs devant les tribunaux de l'Inquisition. Parce que son clergé était souvent d'origine rurale, elle comprenait mieux la foi des simples (mais perçut mal, en revanche, la formation d'un monde ouvrier qui allait se détacher d'elle – ceci est une autre histoire). Elle développa donc, dans les campagnes surtout, une « religion populaire » marquée par la multiplication des pèlerinages, des « missions » de religieux éloquents qui allaient porter la bonne parole de paroisse en paroisse, des manifestations de dévotion aux saints et notamment à Marie.

Un personnage incarna à la perfection cette attitude : Jean-Marie Vianney, né près de Lyon à la veille de la Révolution, petit paysan qui apprit à lire à dix-huit ans, fut renvoyé deux fois du séminaire parce que rien ne lui entrait dans la tête, et qui finit – par protection et en raison de la disette de prêtres après l'Empire – par être admis au sacerdoce et nommé curé à Ars : deux cent trente habitants en comptant large. Ce n'était pas un prédicateur modèle, loin de là, mais dans les chemins de campagne et au confessionnal, il savait toucher les cœurs. D'autant qu'il ne repoussait pas comme des sorciers ou des pécheurs indignes ceux et celles qui se plaignaient de « mauvais sorts » ou lui demandaient de prévoir l'avenir. « C'est le péché qui rend malheureux, disait-il, et non le supposé jeteur de sorts. » Le malheur était donc à ses yeux une punition venue de Dieu plus que du diable. Mais il était toujours possible de se faire pardonner par Celui-là, alors qu'on ne sortait pas aisément des griffes de celui-ci. Son confessionnal fut bientôt très fréquenté. À tel point qu'il y passait des journées entières à recevoir des pénitents venus de partout.

En Jean-Marie Vianney, devenu le « saint curé d'Ars », se mariaient en quelque sorte la culture magique des campagnes et le christianisme. Il lui arriva de sourire de sa réputation en se qualifiant lui-même de « vieux sorcier ».

Or, de son propre aveu, le curé d'Ars eut affaire au diable – qu'il nommait « le grappin » –, de longues années durant[7]. Celui-ci n'avait donc pas disparu.

L'action des « forces occultes » est aussi, à cette époque, évoquée dans les villes. Ainsi, une certaine Mme Blavatsky, mariée à seize ans à un général septuagénaire, vite disparu, court à travers l'Europe, fondant un « club à miracles », à Londres, une « Blavatsky Lodge » dont le journal s'appelle *Lucifer*.

Ainsi Eugène Sue, le romancier populaire, publie-t-il *Les Mystères du peuple*, un bric-à-brac de croyances diverses[8].

Ainsi se répand chez les notables – y compris Hugo à Jersey – la mode de faire tourner les tables pour faire parler les esprits. Si bien qu'un Lyonnais nommé Hippolyte-Léon Denizard Rivail se voit appeler Allan Kardec par un « revenant », en 1854, au cours d'une réunion d'invocation de ceux-ci. Il fonde quatre années plus tard la *Revue spirite* et publie *Le Livre des esprits* sous la dictée, dit-il, d'autres revenants (son influence ne s'éteindra pas de sitôt : dans le cimetière du Père-Lachaise à Paris, sa tombe est toujours très entourée). Au milieu de ce siècle aussi, des milliers de médiums se réunissent en congrès à Cleveland, aux États-Unis.

Ce fatras de croyances qui envahissent même quelques milieux scientifiques incitera Flaubert à écrire : « Ô lumières ! Ô progrès ! Ô humanité ! Et on se moque du Moyen Âge, de l'Antiquité, du diacre Paris, de Marie Alacoque et de la Pythonisse ! Quelle éternelle horloge de bêtises que le cours des âges[9]. »

Ce n'était pourtant pas fini. À la fin du XIXe siècle, en effet, Satan allait lancer une nouvelle offensive.

L'Église, à cette époque, considère avec prudence cet intérêt pour l'irrationnel et le surnaturel : alors que les apparitions – mariales pour la plupart – se multiplient un peu partout, elle n'en reconnaît, en France, que trois[10]. Et se méfie des visionnaires qui prolifèrent. L'abbé Cros, auteur d'une *Histoire de Notre-Dame de Lourdes*, écrit même que certains d'entre eux sont des agents de « l'invisible ennemi de tout bien », c'est-à-dire du diable[11]. Et, à propos d'une autre apparition, Mgr Richard, futur archevêque de Paris, fait lire en chaire une mise en garde aux fidèles d'un voyant : « Tout se borne au témoignage d'un homme qui peut être honnête, mais que son imagination peut tromper[12]. »

Seulement voilà : en cette fin de siècle, l'Église est en butte à une violente offensive anticléricale qu'elle attribue – non sans quelques raisons – à la fois aux spirites et à la franc-maçonnerie. Il importe donc que les fidèles serrent les rangs pour résister. C'est sans doute pourquoi elle accuse à nouveau Satan, diabolise le spiritisme[13] et utilise, comme elle l'avait fait dans les siècles précédents, la « pastorale de la peur ».

L'évolution des textes de l'abbé Brulon, auteur d'une *Explication du catéchisme*, en témoigne[14]. Ce prêtre, dont le livre est recommandé par les autorités épiscopales, écrit, en 1891, que le diable n'a rien à voir avec les histoires de tables tournantes et admet certaines hypothèses des psychiatres de l'époque sur le rôle de l'inconscient dans quelques cas de possession ou d'apparition. Mais, en 1905, l'année où est votée la loi de Séparation des Églises et de l'État, il met en cause le « Prince des Ténèbres ».

L'Église va faire à nouveau – dans les prédications, les articles de la presse catholique alors en plein développement – la publicité de Satan. En utilisant la peur. En multipliant les images infernales[15]. Elle est relayée par toute une littérature d'épouvante, d'origines diverses. Les terreurs ou les troubles alors provoqués chez les adolescents ou les enfants ont été assez évoqués dans de nombreux livres de mémoires et dans de multiples romans pour que l'on n'y insiste pas.

La croyance en Satan se heurte pourtant, à cette époque, à d'autres obstacles. L'idée que le combat entre le Bien et le Mal se livre au cœur de l'homme lui-même, dans son Moi, sa conscience, s'épanouit alors. Un homme l'incarne : le neurologue autrichien Sigmund Freud. Que des théologiens appelleront – avec Marx et Nietzsche – « le maître du soupçon ».

Sigmund Freud, fils d'un marchand de laine, n'était pas du tout intéressé par Satan, ni même par la psychologie, quand il entreprit en 1873 des études de médecine. La biologie et la zoologie l'intéressaient davantage. Il étudia même la vie des anguilles mâles des rivières, avant d'entrer à l'Institut de psychologie, de se spécialiser en neurologie et de se passionner pour les travaux du Français Jean Martin Charcot sur l'hystérie. Ce qui le mena à la psychanalyse[16].

Athée, il ne peut évidemment éviter dans ses recherches le thème de la religion qu'il apparente à une « névrose obsessionnelle ». Et il finit par étudier les possessions démoniaques. En lisant notamment le célèbre traité de démonologie du XVe siècle, le *Malleus maleficarum* (voir p. 134). Il conclut que le démon alors mis en cause représente en réalité des désirs, des pulsions (sexuelles notamment) refoulés. La possession diabolique peut être expliquée comme le refoulement de volontés frustrées. L'inconscient prend à ce moment le contrôle du corps : c'est une libération des refoulements, provoquant des actes et des propos incohérents en apparence. Les histoires de sorcières sont les reflets d'une sexualité infantile perverse : Freud écrit que leur balai « est probablement le grand seigneur Pénis ».

Une citation résume peut-être l'essentiel : « Pour nous, les démons sont des désirs mauvais, réprouvés, découlant d'impulsions repoussées, refoulées. Nous écartons simplement la projection que le Moyen Âge avait faite de ces créations psychiques dans le monde extérieur ; nous les laissons naître dans la vie intérieure des malades, où elles résident[17]. » D'où l'on pouvait conclure que si les désirs, les pulsions, sont refoulés, c'est en vertu d'une loi morale édictée au nom d'un dieu, ou de Dieu, laquelle est donc responsable des névroses, notamment sexuelles. Certains n'ont pas manqué de le faire. L'on comprend dès lors qu'une longue querelle ait opposé l'institution ecclésiastique et la psychanalyse. D'autant qu'en intériorisant le Mal, comme les tragédies du xxe siècle allaient y pousser, d'aucuns pouvaient penser – même s'ils ignoraient tout de l'œuvre de Freud – que le diable, désormais, c'était eux[18].

Un contemporain de Freud, Friedrich Nietzsche, fils de pasteur, pense aussi, dans son enfance, que le diable est en nous. Il s'interroge en effet : comment expliquer la présence dans le même univers d'un Dieu amour et lumière et d'un diable sombre et maléfique ? Il finit, à douze ans, par combiner une curieuse Trinité. Elle comprend le Père et le Fils, mais le Saint-Esprit est un faux nom, dit-il, ou un nom mal compris. La troisième personne, en effet, c'est le diable. Il est en Dieu comme il est en nous et la tâche pour chacun de nous, pour

Dieu aussi bien sûr, est de le convertir pour restaurer l'Absolu.

Nietzsche évoluera ensuite vers l'athéisme, en deviendra l'un des grands maîtres. Il écrira que l'homme doit abandonner tout recours à un secours divin illusoire parce que Dieu le Père est un rêve, l'expression de la faiblesse humaine en quête de protection[19]. Tout en admirant Jésus[20], il fulminera donc contre le christianisme, coupable à ses yeux de diminuer l'homme.

Pour lui, ce qu'on nomme l'Idéal n'est que le néant érigé en idole. « L'homme, écrit-il, cherche un principe au nom duquel il puisse mépriser l'homme ; il invente un autre monde pour pouvoir calomnier et salir ce monde-ci ; en fait, il ne saisit jamais que le néant et fait de ce néant un "Dieu", une "vérité" appelée à juger et à condamner cette existence-ci[21]. »

Nietzsche fulmine surtout contre l'Église chrétienne : « Elle est pour moi la plus haute des corruptions concevables [...], de chaque valeur elle a fait une non-valeur, de chaque vérité un mensonge, de chaque rectitude une bassesse. »

Cette imprécation haineuse – « la plus terrible des accusations qu'aucun accusateur ait porté sur ses lèvres », écrit-il lui-même – clôt le dernier livre publié par Nietzsche. Et ce livre d'un philosophe qui fut toute sa vie – difficile – hanté par l'enfer a pour titre *L'Antéchrist*.

XXII

Quand l'homme fait le diable...
ou s'en accommode

J'ai tenté jusqu'ici de conter l'histoire de Satan en suivant, autant que possible, l'ordre chronologique. En évoquant, autant que je le pouvais, les multiples mythes et croyances, les grands drames, l'imagerie, les farandoles de diablotins aux ailes de chauve-souris, les recettes de potions magiques et les formules de jeteurs de sorts.

Me voici au XXe siècle. Avec le désir de m'arrêter là.

Ce siècle est trop noir. Il a accumulé d'innombrables et impitoyables guerres. Il leur a tout sacrifié : hommes, esprit, honneur, argent. Il a multiplié les massacres. Si bien qu'on ne dressera jamais le bilan des deux plus grands conflits, ceux qui furent menés par des peuples dits civilisés. Le premier, à ce que l'on croit, fit à peu près dix millions de morts sur tous les fronts, et autant parmi les civils. Il en blessa des millions. Et laissa nombre d'enfants sans pères et de femmes sans hommes. Il s'accompagna enfin d'un premier génocide : un million et demi de victimes arméniennes.

Ce n'était qu'un début.

Suivit une guerre civile. Dans l'empire des tsars. Cinq millions de morts en comptant la famine de 1922. Là encore, ce n'était qu'un début. Sous les règnes de Lénine et de Joseph Staline, quatre millions d'opposants – ou supposés tels – furent conduits à la mort. Puis survint un nouveau génocide : sur les terres fertiles de l'Ukraine, six millions de personnes furent délibérément affamées par le régime communiste.

Une autre guerre civile éclata en Espagne. Les estimations varient de deux cent mille à neuf cent mille morts. La plupart victimes d'exécutions sans jugement, parfois d'une atroce barbarie.

Et voici la Deuxième Guerre mondiale. Cette fois, on ne parvient même pas à décompter les morts. Quarante millions, semble-t-il, dans la seule Europe, auxquels il faut ajouter les Asiatiques, surtout les Chinois. Plusieurs génocides aussi : celui des Juifs, bien sûr, c'est-à-dire la volonté folle d'effacer de la planète tout un peuple. Mais aussi des Tziganes, des handicapés. Encore des millions.

Il ne faut pas s'arrêter à ces chiffres. D'abord parce que d'autres guerres ont suivi, un peu partout. Celles de la décolonisation, celles qui ont opposé Israël à ses voisins, l'Irak et l'Iran, l'Inde et le Pakistan, les deux Corées. J'en oublie ? Certainement. Disons plutôt que j'en ai assez d'énumérer ces délires. Et puis, les chiffres sont trompeurs, abstraits. Tentons en revanche d'imaginer ce qu'ils cachent : des ventres ouverts, des visages sanglants, écrasés, des membres épars, des dizaines de millions de corps défaits, pourris, brûlés, des souffrances indicibles, des vivants plus morts que les morts. Insupportable ? Pourtant nous les avons vues et supportées, ces images infernales.

Tiens, j'ai écrit « infernales ». Sans y avoir d'abord réfléchi. Il existe ainsi des mots qui surgissent, qui s'imposent sans avoir été cherchés. Et qui dépassent tous les autres.

Infernales. Songez aux représentations de l'enfer imaginées jadis par nos aïeux, avec des corps cuits à la broche ou dans des marmites. Ils ont bonne mine, triste mine plutôt, nos ancêtres avec ces dessins, ces tableaux et ces sculptures. Ils n'étaient pas de taille.

Allez donc les voir, ces images, sur les murs des cloîtres et des églises, relisez Virgile et Dante. Et comparez. Comparez avec Hiroshima et Nagasaki, avec les fumées qui s'échappaient des camps, avec les enfilades d'hommes fauchés comme des blés dans la clameur des mourants et le tonnerre des explosions. Comparez avec nos images du XXe siècle, en noir et en douleur.

Souvenez-vous aussi que ce siècle a fait mieux que les pires des despotes. Il a inventé l'État totalitaire, qui ambitionne de tout contrôler, y compris vos amours et vos plus secrètes idées. L'immense machine à diriger et à broyer, commandée par un homme qui sait mieux que le peuple ce qui est bon pour le peuple, et ce que celui-ci doit penser. Cet État-là n'est fondé que sur la terreur : il s'écroule dès que l'on ne tire plus sur les manifestants, les opposants. On l'a bien vu par deux fois dans la même ville, Berlin : en 1945, lorsque Adolf Hitler et les compagnons qui lui restaient se sont suicidés ; en 1989 lorsque fut percé le trop célèbre mur. L'État totalitaire est un État terroriste. Mais un terroriste qui n'a rien à voir avec les poseurs de bombes. Car il veut se faire aimer. Et il y parvient. Il contrôle les esprits et les cœurs. Au mépris de toute liberté. Les Allemands, et d'autres, ont aimé Hitler. Les Russes, et bien d'autres, ont aimé Lénine et Staline. Voilà un point commun avec le diable qui veut, assure-t-on, que chacun lui donne son âme. Ou la lui vende s'il a l'esprit retors.

Les histoires démoniaques que nous avons jusqu'ici rencontrées et racontées font donc pâle figure comparées à ce que le XXe siècle a su faire. Et ce que le XXIe siècle, ici ou là, poursuit.

Il nous faut pourtant aller jusqu'au terme de notre chemin. Pour constater, justement, que Satan, ses comparses, ses rivaux ou ses affidés, ont été presque gommés. Peut-être comme des incapables, de petits besogneux sans talent et sans art. Ils étaient serpents, dragons, effrayants monstres. Ils sont devenus animaux de compagnie. Futés quand même. Capables de s'infiltrer, pour y tenir petits ou grands rôles, dans tout ce que l'homme imagine ou invente. Et sans attendre, sans délai.

Exemple : le cinéma, cette machine à créer ou à recréer la vie. L'inventeur, non de l'appareil mais de l'art cinématographique, se nomme, on le sait, Georges Méliès. Un passionné de dessins, d'automates, d'illusionnisme. Il crée le premier studio et y produit des films – courts – par dizaines. Voici quelques titres, parmi les premiers : *Les Pilules du diable*, *Le Cabinet de Méphistophélès*, *La Damnation de Faust*, *La Grotte du diable*, *La Tentation de saint Antoine*, ce premier moine retiré dans le désert d'Égypte que le diable torturait chaque nuit en peuplant ses rêves d'images lubriques. Bien d'autres films du même type encore[1].

Le diable, le cinéma ne le lâchera pas. À moins que ce ne soit l'inverse. Le terrain lui est favorable, en ce siècle de feu et d'épouvantes. La technique aussi, avec ses truquages, ses faux-semblants qui permettent de montrer ce que le livre suggère seulement. Les auteurs allemands y excellent : le *Docteur Mabuse* de Fritz Lang (1922) montre une société en pleine décomposition où règnent vices et maléfices de toutes sortes. Les Scandinaves rivalisent. Après le premier film parlant du Danois Carl Dreyer, où le personnage principal apparaît dans les flammes de l'enfer, c'est la fille d'une sorcière brûlée qui est mise en scène dans *Dies Irae* : elle fuit un démon, mais aussi un dieu aux multiples exigences.

Tout le monde s'y met. Parfois en utilisant les histoires anciennes. L'Américain Harry Lachman réalise en 1935 un *Dante's Inferno* qui, comme son titre l'indique, reprend des images de *L'Enfer* de Dante, dans un spectacle où apparaît, exécutant un numéro de danse, Rita Hayworth, alors appelée Rita Casino. Et, en 1970, l'Anglais Ken Russel met en scène Vanessa Redgrave dans un film – *Les Diables* – qui reprend l'histoire des possédées de Loudun, en s'attachant surtout, il est vrai – entre bacchanales et exorcisme –, aux aspects politiques de l'affaire. De même, le drame des sorcières de Salem (Massachusetts) accusées à tort de sorcellerie vers 1690 inspire à Jean-Paul Sartre, d'après une pièce d'Arthur Miller, un scénario marqué par sa violente hostilité aux États-Unis, qui est réalisé par Raymond Rouleau en 1956 avec une distribution éclatante.

D'autres montrent plus d'imagination. Ainsi, Roman Polanski met en scène, en 1968, *Rosemary's Baby*, film fantastique dans lequel une jeune femme devient, à son insu, la proie d'une secte satanique. Celle-ci, lorsqu'elle est enceinte, s'empare de son bébé, fruit, dit-on, d'un accouplement monstrueux avec Satan. Le film, d'une incontestable qualité dans le suspense et l'horreur, connut un triomphe dû aussi à son étrange suite : les auteurs furent submergés de menaces de mort, le producteur se retrouva à l'hôpital où vint mourir le compositeur, victime d'un accident, et quand il sortit enfin de cette maison de santé, les médias annonçaient la mort de Sharon Tate, l'épouse de Polanski, horriblement massacrée. De quoi nourrir imaginations et soupçons.

Un autre grand cinéaste, Maurice Pialat, s'intéressa au diable en réalisant *Sous le soleil de Satan* (1987), d'après le roman de Georges Bernanos (voir p. 196) dont le personnage principal, l'abbé Donissan, interprété par Gérard Depardieu, témoin et acteur d'un combat sans merci entre Bien et Mal, vit un véritable calvaire spirituel. Un peu ennuyeux, le film reçut la Palme d'or, discutée, au Festival de Cannes. Une autre distinction fut attribuée par le même festival à un film délirant, provocateur et surtout médiocre appelé, comme par hasard, *Antichrist*.

Robert Bresson, qui s'intéressa au diable dans plusieurs films (notamment le *Journal d'un curé de campagne*, inspiré également de Bernanos), ne parvint pas non plus, sur ce thème précis, à retenir l'attention dont il rêvait.

Pour le reste, Satan et son cortège de démons, vampires et violents divers, apparaissent surtout, désormais, dans des films d'horreur où ils sont rudement concurrencés par d'horribles malfaisants aux prodigieux pouvoirs débarqués de planètes lointaines. Alfred Hitchcock lui-même, également passionné par l'affrontement du Bien et du Mal, ne mit en scène, dans ses plus grands films, que de jeunes innocents. Des fétus de paille, ballottés par le destin – comme le souligna François Truffaut à propos des *Trente-Neuf Marches* (1935) – dans un univers où « tout est signe de danger, tout est menace[2] ».

Mais si le nom du diable ou du démon apparaît dans les titres de dizaines de films, c'est qu'il est partout dans le langage populaire. On tire « le diable par la queue », on a « le diable au corps » ou « le démon de midi », on est tourné en ridicule par des « diablesses » ou tourmenté par des « diaboliques ». Ou encore on se montre brave au combat, comme dans *Les diables de Guadalcanal*, film américain de 1951. Ceux-là sont donc du bon côté, celui du Bien. Tout comme les « diables bleus », nom donné par les Allemands, dans la terrible réalité de la Grande Guerre, « aux chasseurs alpins, en raison de leur vivacité et de la couleur bleu marine de leur uniforme[3] ».

Les publicités ne sont pas en reste. Le diable, pour elles, n'est pas un repoussoir effrayant mais un symbole de force et d'astuce. Qui incite à ramoner (on vend en effet un « diablotin »), déboucher les conduits hygiéniques, et même soigner (notamment les cors au pied !). Ou encore, complice, à consommer de « dangereuses » boissons alcoolisées, des bières surtout, appelées Lucifer, Satan aussi bien que… Trappiste. Les « diables » servent à transporter et les « diabolos » à jouer, ou épater les clients des cirques. On propose sur

Internet un doudou cornu et en feutrine noir, « El diablo ».

Dans les bandes dessinées d'Hergé, Milou, le très célèbre chien de Tintin, et le non moins célèbre capitaine Haddock, obsédés par un terrible cas de conscience, sont, par deux fois, entourés d'un bon ange et d'un diablotin. Et dans les années quatre-vingt, un groupe dynamique chanta une *Salsa du démon* qui se rit gentiment de Belzébuth.

Satan peut donc se trouver d'un côté ou de l'autre. Il n'est plus ce qu'il était.

Le sens religieux a même disparu de son nom quand Baudelaire, comme d'autres, a évoqué « la beauté du diable, c'est-à-dire la grâce charmante et l'audace de la jeunesse », quand Eugène Sue a évoqué « le diable et son train », pour parler d'un entassement de choses diverses, quand on s'est mis à envoyer quelqu'un « au diable vauvert[4] », ou quand on dit que « le diable bat sa femme et marie sa fille » pour expliquer que la pluie accompagne le soleil.

Le sens moral du mot diable a disparu, on l'a vu à propos des guerriers. Mais on parle aussi d'un « grand diable » à propos d'un dégingandé. Et Mérimée a écrit : « Les officiers étaient les meilleurs gens du monde, tous de bons diables, s'aimant comme des frères. » Or, quand Molière, deux siècles plus tôt, disait d'une femme d'esprit qu'elle était « un diable en intrigue », c'est qu'il la jugeait « rusée et mauvaise ».

Cette entrée en force dans le langage est peut-être le signe que le diable n'effraie plus. Mais la question du Mal – qu'il incarne – continue de passionner. Ainsi Henri-Georges Clouzot, l'auteur du *Corbeau*, reprend-il, en 1954, le titre d'un livre du siècle précédent, *Les Diaboliques*, de Barbey d'Aurevilly. Le scénario en est tout différent mais c'est le même climat, noir et désespéré, qui pollue les deux œuvres. Barbey d'Aurevilly, noble dandy normand qui avait commencé par brûler sa jeunesse dans l'alcool et l'opium, s'était converti, vers la quarantaine, au catholicisme le plus intransigeant, le plus fermé. La présence du Mal, palpable, était devenue pour lui une conviction profonde. Les nouvelles qui composent son livre décrivent un monde où le crime est sans punition et surtout sans remords, peuplé de monstres : des femmes (encore...) séduisantes, dont la toute-puissance est destructrice.

Barbey avait rencontré, en 1867, un commis d'architecte nommé Léon Bloy, devenu bientôt un violent quêteur d'absolu, acharné à démontrer dans ses incessantes polémiques et ses nombreux livres l'action du diable contre le plan divin d'organisation de l'univers. Bloy expliquait par le Malin, écrivit Mauriac, la « pulsation de la bêtise quotidienne ». Mais Bloy convertissait les célébrités. Et il eut un disciple, sans l'avoir rencontré, en Georges Bernanos.

Bernanos, lui, était de force à supporter les *Diaboliques* de Barbey comme le *Désespéré* de Bloy. Car il croyait fermement, comme l'écrivit le prêtre de son *Journal d'un curé de campagne*, que « tout est grâce ». C'est pourquoi l'autre prêtre, l'abbé Donissan de *Sous le soleil de Satan* (1926), un bourreau d'ascétisme qui se fait d'abord berner par le Malin déguisé en brave maquignon, prend une conscience aiguë de l'action incessante de Satan sur les âmes, toutes les âmes. Mais une action que l'on peut combattre, vaincre : Bernanos comparait son livre à un « feu d'artifice tiré un soir d'orage, dans la rafale et l'averse »...

Vainqueur ou vaincu, dominant ou dominé, Satan était donc toujours là pour ces grands de la littérature catholique. Comme chez Dostoïevski, qui ne l'installa pas dans ses œuvres mais se cogna au Mal du monde et vit dans ses criminels, ses assassins, ses prostituées et ses tortionnaires, des rachetés, des sauvés. Et qui s'obstina à fermer les portes du néant.

Il faut le souligner : Satan, pour tous, passe désormais par les hommes. Il n'intervient pas directement.

Il s'introduit dans les esprits, commande les cœurs, pousse à l'acte mauvais.

Seulement voilà : le psychanalyste Sigmund Freud, à la fin du XIXᵉ siècle, a expliqué, on l'a vu, que l'homme n'avait nul besoin d'être agi, mû, par Satan ni par quelque démon que ce soit. Le Mal est en lui : la pulsion de destruction, la pulsion de mort. Dieu et Satan, l'un incarnant le Bien et l'autre le Mal, ne sont que des mythes. Freud, après avoir notamment observé les phénomènes d'hystérie et étudié une histoire de possession « diabolique » intervenue en Autriche au XVIIᵉ siècle, écrit : « Pour nous, les démons sont des désirs mauvais, réprouvés, découlant d'impulsions repoussées, refoulées. » Auparavant, on attribuait leurs actions à des êtres extérieurs. Alors que, « créations psychiques », elles résident dans « la vie intérieure des malades »[5].

Les religions et les civilisations s'efforcent de canaliser, voire de réprimer, les pulsions de destruction et de mort. Mais il ne faut pas se tromper : aucune civilisation n'a cru qu'il était possible de supprimer vraiment l'agressivité. Elle peut l'empêcher de s'exprimer entre les membres du groupe, ou la diriger vers l'extérieur, « les autres groupes qui deviennent non des adversaires respectables mais des ennemis, des inférieurs et la cause de tous les maux dont souffre le groupe[6] ».

Voici donc le diable mis pratiquement hors de cause, y compris ensuite par les psychanalystes croyant en Dieu. Ce que Freud a laissé entendre sur la nécessité, pour la cohésion du groupe, de lui désigner un ennemi malfaisant est d'ailleurs souvent confirmé par le discours politique. Hitler parlait des « diables » juifs, Mao Tsé-toung dénonçait les « rois de l'enfer », Ben Laden appelle les musulmans à attaquer les « troupes satanistes américaines et leurs démons alliés », et le président George Bush dénonça un « axe du Mal » allant d'Irak et d'Iran jusqu'à la Corée du Nord.

Ce qui vérifie, une fois encore, que dans le langage, c'est-à-dire dans les esprits, le diable résiste toujours.

Dans la vie quotidienne également, on continue à le mettre en cause.

Commençons par les esprits.

L'hebdomadaire catholique *Pèlerin magazine* a fait réaliser par l'Institut TNS-Sofres, en décembre 2002[7], un sondage dont les résultats sont éclairants. Trois questions étaient posées :

1°) Vous, personnellement, avez-vous déjà eu le sentiment que votre vie ou des moments de votre vie étaient sous l'influence de puissances maléfiques ?

Réponses :	De temps en temps	10 %
	Rarement	5 %
	Exceptionnellement	4 %
	Jamais	77 %
	Sans opinion	4 %

2°) Vous, personnellement, croyez-vous à l'existence du diable ?

Réponses :	Tout à fait	8 %
	Un peu	10 %
	Pas vraiment	8 %
	Pas du tout	71 %

3°) Vous, personnellement, croyez-vous que des individus puissent être possédés par le diable ?

Réponses :	Tout à fait	10 %
	Un peu	15 %
	Pas vraiment	11 %
	Pas du tout	59 %

Autrement dit, au début de notre siècle, un Français adulte sur cinq environ n'excluait pas l'existence du diable ou de « puissances maléfiques » peu identifiées. Mais on notera surtout les réponses à la troisième question : 59 % seulement des personnes interrogées excluent totalement les phénomènes de possession ; autrement dit, une sur quatre y croit « tout à fait » ou « un peu », et une sur dix est dans le doute.

Ce n'est pas une exclusivité française. Des signes de croyance en la possession diabolique existent notamment dans les deux Amériques, en Afrique et dans les pays islamisés (la presse arabe dénonce régulièrement le « satanisme » ; un groupe islamique radical s'intitulait dans les années soixante-dix « les sauvés de l'enfer »...)

En Allemagne, une affaire fit grand bruit dans ces années soixante-dix : la mort d'une adolescente anorexique dont la famille habitait une petite ville, Klingenberg, dans la région de Francfort-sur-le-Main. Cette jeune fille traversait, depuis des années, de spectaculaires crises d'anorexie que la médecine ne parvenait pas à guérir. Ses parents l'amenèrent chez un prêtre qui la jugea possédée. Un an plus tard, elle mourut. Ce prêtre l'avait confiée, avec l'accord de l'évêque du diocèse, à deux exorcistes qui répétèrent sur elle, pendant des mois, des séances de « grand exorcisme » (lecture de psaumes et de l'Évangile ; après quoi le prêtre pose ses mains et souffle sur le visage du possédé pour chasser le Mal puis il demande à Dieu de libérer le possédé de Satan). L'adolescente, possédée, au dire des trois prêtres, par six démons différents, finit par refuser totalement de manger et de boire. Elle mourut donc de faim. Les parents et les deux exorcistes furent emprisonnés.

Après la Seconde Guerre mondiale et le concile Vatican II, l'Église catholique s'était pourtant montrée d'une grande prudence à l'égard des phénomènes de « possession ». Peu d'évêques nommaient des exorcistes dans leurs diocèses. Et les personnes qui consultaient ceux-ci se trouvaient souvent dirigées vers des psychiatres ou des psychanalystes. Ou encore elles étaient prises en charge par des équipes de laïcs et de prêtres qui se gardaient bien de pratiquer les impressionnants rituels.

Cette situation perdure en bien des endroits et des pays. Mais un certain retour à la tradition s'est manifesté – en ce domaine également – ces dernières années. Les exorcistes officiellement désignés par les évêques diocésains sont beaucoup plus nombreux : une centaine en France. La plupart semblent se montrer très prudents. Mais le nombre de personnes qui les sollicitent n'est pas négligeable : vingt-cinq mille personnes chaque année, selon certaines données. En général, ils apparaissent aux yeux de celles-ci – pas toutes croyantes, loin de là – comme un dernier recours après médecin, envoûteur, désensorceleur, etc.

En Italie, la presse a fait grand bruit, en 2005, à propos d'une réunion de prêtres intéressés par l'exorcisme, organisée à Rome par les Légionnaires du Christ, organisation très traditionaliste originaire de l'Amérique latine et disposant d'importants moyens financiers. Au cours de cette réunion, don Gabriele Nanni, expert en droit canon et exorciste du diocèse de Modène, a incité les participants à une certaine prudence : « L'exorcisme vise à soustraire de l'emprise du démon par la prière. Il n'y a pas d'incantations, pas de rites, pas de formules. Cela, ce sont les sorciers qui le font, pas nous, a dit le prêtre. Nous n'avons pas de preuves de la possession. Simplement des indices qui laissent penser qu'il existe chez une personne un problème qui ne relève pas seulement de la psychiatrie[8]. »

Plusieurs tendances semblent s'être exprimées au cours de cette réunion. Les uns reprochant aux évêques italiens de refuser d'entendre parler d'exorcisme, « assimilé à de la superstition », les autres soulignant que bien des personnes qui les sollicitent n'ont guère besoin de leurs services.

Les mêmes tendances divisent le clergé de la plupart des pays européens, les prêtres les plus âgés se montrant souvent les plus sceptiques. Le père Isidore Froc, vingt ans exorciste dans le diocèse de Rennes, qui fut consulté par trois mille personnes environ, souligne que trente d'entre elles seulement ont prononcé devant lui le nom de Satan et lui ont attribué leurs difficultés.

Il avoue ne guère croire en la possession : « Comment Satan peut-il posséder une personne ? Et puis, si possession il y avait, l'homme ne serait plus responsable de ses actes[9]. »

De telles remarques, qui ne sont pas rares, incitent à penser que les exorcistes, spécialistes des problèmes de possession, figurent parmi les plus incrédules à cet égard. Comment, dès lors, expliquer l'intérêt pour ces problèmes et la relative croyance dont ils bénéficient si l'on en juge par le sondage cité ci-dessus ?

On peut discerner plusieurs raisons. D'abord, la publicité que leur font les médias, à commencer par le cinéma. Aussi, la multiplication – due en partie à l'immigration – des annonces par lesquelles des « désensorceleuses » offrent leurs services, bien rémunérés. Et encore, chez les chrétiens pratiquants, la lecture ou l'écoute de nombreux récits évangéliques où Jésus guérit des possédés. Or, on n'explique guère à ces fidèles qu'au premier siècle de l'ère chrétienne le judaïsme confondait volontiers possession et mal physique. L'historien juif Flavius Josèphe, par exemple, expliquait alors les maladies par l'action « des esprits d'hommes méchants qui pénètrent dans le corps des vivants et qui provoquent leur mort[10] ».

Il faut ici ouvrir une parenthèse. Les croyances aux phénomènes de possession, et d'irrationnel en général, sont plus répandues – contrairement à ce que l'on pense d'ordinaire – dans les milieux apparemment les plus cultivés. Ainsi, lors d'une enquête effectuée en France, en 1981, sur un échantillon de deux mille cinq cents personnes, 23 % des cadres supérieurs interrogés déclaraient croire aux envoûtements. Et 24 % des étudiants de Montpellier, objets d'une enquête, en 1988 cette fois, admettaient l'existence du diable[11]. Ce que l'on croit d'ordinaire être le fait d'un monde rural jugé plutôt arriéré.

Dès qu'un fait divers impliquant des phénomènes de sorcellerie ou de satanisme est signalé, les médias s'empressent en effet de souligner avec surprise qu'il s'est produit assez près de Paris ou d'une très grande agglomération urbaine, comme si une ville importante devait être au contraire le cœur du rationalisme le plus absolu. Or, les sectes sataniques, par exemple, qui ont attiré l'attention de la première réunion de prêtres exorcistes tenue en France, en 2006[12], semblent toucher surtout de jeunes urbains, liés à des courants néonazis. Elles sont beaucoup plus développées aux États-Unis qu'en Europe, Grande-Bretagne exceptée. Dans les pays du Sud également, où le développement des grandes religions (islam, mais aussi évangélisme pour le christianisme) s'est accompagné d'un regain d'intérêt pour le diable.

Les travaux de Jeanne Favret-Saada, ethnographe et psychanalyste, qui passa plus de trente mois au début des années soixante-dix dans le Bocage mayennais pour étudier les phénomènes de sorcellerie, sont également révélateurs d'une situation plus complexe qu'on ne l'imagine d'ordinaire[13]. Elle a en effet recueilli au long de son enquête nombre de récits, mais le diable ou ses assistants n'y apparaissent jamais. Le scénario de ces récits est en général le suivant : une personne est victime d'une série de malheurs (un accident, une maladie, des problèmes financiers, des bruits survenant au milieu de la nuit, etc.) dont l'accumulation ne paraît pas « naturelle », hors de la normale ; alors elle se sent « prise ». Par qui ? Un jeteur de sort. Qui est plus fort. Qui travaille à son compte ou sert d'intermédiaire à un ennemi de la victime. C'est un problème de pouvoir, de rapport de force. Si la victime n'a pas assez de force – comme les faits le laissent penser –, il lui faut trouver un autre intermédiaire, capable de mettre en échec le jeteur de sort, un « désensorceleur » donc. Cela peut être le prêtre du lieu, qui souvent se récuse, ou une personne réputée capable de « retirer le mal » (certaines d'entre elles utilisant des techniques antiques : transpercer d'épingles une poupée, ou un cœur de bœuf par exemple). Mais il n'est nulle question dans ces histoires de « sabbat des sorcières » ou de légendes de ce genre. Beaucoup plus de souffrance et de mal. Et ceux qui en sont les acteurs préfèrent ne pas en parler. Les premiers interlocuteurs de l'enquêtrice lui répondaient : « Les sorts, ça n'existe plus » ; « C'est d'l'ancien » ; « Ça existait, chez nos ancêtres » ; « Allez donc là-bas, ils sont arriérés ».

Là-bas ? Ce n'est pas à tout coup un village, loin de là. À ce compte : il y a des « arriérés » partout. La preuve, les rayons « Ésotérisme » des grandes librairies urbaines sont parfois plus garnis que ceux des religions. Des histoires de maisons hantées surgissent dans les grandes agglomérations[14]. Mais le diable y est peu présent. Comme si l'homme pouvait se passer de lui mais non du surnaturel ou de l'irrationnel.

Reste à savoir ce que les Églises, elles, en pensent.

XXIII

Hésitations
et contradictions romaines

Commençons par l'enfer.

Au début du XXᵉ siècle, en 1908 exactement, un *Caté-chisme en images*[1] en donnait une représentation terri-fiante. Satan y trônait comme un empereur, une fourche à la main, sous une « horloge de l'éternité » aux aiguilles figées entre « toujours » et « jamais ». Une foule de maudits descendait jusqu'au bord d'une grande muraille du haut de laquelle les démons préci-pitaient leurs victimes.

Or, au cours du même siècle, dans les années soixante, le concile Vatican II n'a pas utilisé une seule fois le mot « enfer ». Il est vrai qu'il ne se voulait pas seulement dogmatique, ne souhaitait pas définir ou redéfinir des dogmes auxquels tous les fidèles devaient adhérer. Mais deux des (longs) textes qu'il a publiés s'intitulent « Constitutions dogmatiques », et le sont au sens classique du terme. L'un porte sur l'Église, l'autre sur la Révélation[2].

La Constitution sur l'Église, dans son article 49, évo-que cependant la fin des temps, soulignant qu'en atten-dant le retour du Seigneur « dans sa majesté » et la destruction de la mort, des hommes « continuent sur terre leur pèlerinage », d'autres sont déjà au Ciel, « dans la gloire » de Dieu, d'autres enfin, « ayant achevé leur vie, se purifient encore ». Ce qui est une mention claire du purgatoire. Mais il n'est pas fait mention de l'enfer. Et pas davantage de la damnation.

L'absence de ces mots est significative. Il est vrai – et voilà l'important – que l'enfer ne figure pas non plus dans le Credo. Quand celui-ci dit que Jésus est « descendu aux enfers », il veut évoquer le « shéol », un lieu obscur où étaient rassemblées toutes les âmes des défunts, selon l'Ancien Testament. Le Christ, alors, contraint les enfers à rendre leurs prisonniers[3]. Il en ouvre grandes les portes.

En dépit de tout ce que l'on a lu dans les chapitres précédents, et de multiples déclarations du Magistère des Églises chrétiennes, certaines hésitations ont toujours existé à propos de l'enfer. Le premier texte à le décrire est un apocryphe du IIe siècle, l'Apocryphe de Pierre, qui montre les pécheurs dévorés par des oiseaux, suspendus à des flammes par la langue ou liés par des roues de fer. L'Apocalypse de Paul, publiée deux siècles plus tard, en rajouta, décrivant d'énormes vers à deux têtes qui rongeaient les entrailles des condamnés, un gouffre pestilentiel où pourrissaient tous les non-baptisés, etc. Traduit dans toutes les langues de l'Europe, ce texte-là fut largement utilisé jusqu'au milieu du Moyen Âge.

Son influence sur les clercs qui annonçaient l'enfer dans leurs sermons – heureusement interminables, donc mal écoutés – fut très grande. Or, il racontait par exemple qu'il existe en enfer 144 000 tortures différentes et que cent personnes, possédant chacune quatre langues, qui en auraient parlé depuis la création du monde (jugée assez proche à l'époque, il est vrai…) n'en auraient pas encore terminé la description.

Tous, pourtant, n'acceptaient pas l'idée de cette terrible et éternelle punition. Origène, on l'a vu, avait la certitude du salut universel (apocastase, comprenant donc Satan lui-même) et fut notamment condamné pour cela dans des conditions complexes au VIe siècle[4].

Au IIIe siècle, Grégoire de Nysse, grand théologien oriental, avait pris la même position. Jérôme, premier traducteur de la Bible en latin, également. Saint Isaac le Syrien, évêque de Ninive dont la foi nourrissait une très profonde espérance, demandait : « Où est l'enfer qui puisse nous angoisser devant la joie de l'amour du Christ ? Qu'est-ce que l'enfer, devant la grâce de sa Résurrection[5] » ? Et au XIVe siècle, l'Italienne Catherine de Sienne interrogeait : « Comment supporterais-Tu, Seigneur, qu'un seul de ceux que Tu as faits comme moi à Ton image et à Ta ressemblance aille se perdre et s'échappe de Tes mains ? Non, en aucun cas, je ne veux qu'un seul de mes frères se perde, un seul de ceux qui me sont unis par une identique naissance pour la nature et pour la grâce[6]. »

À l'opposé, on peut citer de multiples phrases de Jésus, rapportées par les évangélistes (surtout Matthieu), du type « Loin de moi, maudits, au feu éternel ! » (Mt XXV, 41), condamnation qui serait prononcée par le « Fils de l'homme » lors du jugement dernier. Mais, souligne le père Bernard Sesboüé, théologien très largement reconnu, « ces textes sont empruntés à des paraboles, c'est-à-dire à des représentations fictives qui évoquent un scénario auquel Jésus veut que ses auditeurs échappent[7] ». Et un autre grand théologien, le père Joseph Moingt, après avoir passé en revue les positions sur ce sujet de nombre de ses confrères, conclut : « La tendance la plus certaine est de réduire la menace de l'enfer, sa possibilité ou sa réalité, et nous sommes en droit d'y voir une meilleure intelligence de la révélation de l'amour divin. » Soulignons dans cette phrase le mot réalité. Le père Moingt ajoute que cette « meilleure intelligence fait de la justice de Dieu une fonction de sa bonté, tournée vers nous et non vers lui[8] ».

Les prêtres de paroisse, en contact permanent avec les fidèles, s'interrogeaient, eux, depuis longtemps. En témoigne le courrier reçu par *L'Ami du clergé*, publication née au XIXᵉ siècle et très lue par eux. On y trouve par exemple la question posée par un curé demandant, en 1902, comment le feu – physique – pouvait en enfer brûler une âme, qui n'a rien de physique par définition. Et ce prêtre souligne : « Je veux une réponse scientifique [...] car en parlant mystère on s'en tire toujours. » Le périodique, qui a l'honnêteté de reproduire cette lettre, est bien embarrassé pour répondre ; on y lit qu'il doit bien y avoir une explication mais que « Dieu ne nous a pas révélé cette loi, car il n'a pas l'habitude de nous révéler des formules scientifiques, fort inutiles pour notre conduite ». C'est la science, dont le sérieux n'est pas contesté cette fois, qui l'emporte désormais sur l'enfer et le diable.

Il faut ajouter à cet ensemble une déclaration du pape Jean-Paul II, rarement citée, très souvent méconnue. Elle date de 1994 : « Dieu, qui a tant aimé l'homme, peut-il accepter que celui-ci le rejette et pour ce motif soit condamné à des tourments sans fin ? Pourtant, les paroles du Christ sont sans équivoque. Chez Matthieu, il parle clairement de ceux qui connaîtront des peines éternelles. Qui seront-ils ? L'Église n'a jamais voulu prendre position. Il y a là un mystère impénétrable entre la sainteté de Dieu et la conscience humaine. Le silence de l'Église est donc la seule attitude convenable. Même si le Christ dit, à propos de Judas qui vient de le trahir : "Il vaudrait mieux que cet homme-là ne soit pas né !" cette phrase ne doit pas être comprise comme la damnation pour l'éternité[9]. »

En écrivant que « l'Église n'a jamais voulu prendre position », Jean-Paul II a évidemment oublié bien des faits historiques. À commencer par le synode de Constantinople qui a défini, en 543, que la peine de l'enfer était « sans limites dans le temps », qu'elle était éternelle. Ce qu'ont suivi de multiples imprécations, prédications et condamnations. Mais son propos suggère clairement que la damnation pour l'éternité ne peut être affirmée. Et que si l'enfer existe, il est probablement vide. Même de Judas, a dit Jean-Paul II pour le souligner.

Il se trouvait ainsi en contradiction avec une « Note de la Congrégation pour la doctrine de la Foi, sur la vie éternelle et l'au-delà », note qu'il avait lui-même approuvée auparavant et qui ne laissait aucune place au doute. L'Église, disait-elle en effet, « croit qu'une peine attend pour toujours le pécheur qui sera privé de la vue de Dieu et à la répercussion de cette peine dans tout son être ».

Il est vrai que Jean-Paul II avait approuvé ce texte dans la première année de son pontificat, en mai 1979. Mais, en 1992, c'est sous son autorité qu'a été publié le nouveau *Catéchisme de l'Église catholique* où on lit ceci : « L'enseignement de l'Église affirme l'existence de l'enfer et son éternité. Les âmes de ceux qui meurent en état de péché mortel descendent immédiatement après la mort dans les enfers, où elles souffrent les peines de l'enfer, "le feu éternel". La peine principale de l'enfer consiste en la séparation éternelle d'avec Dieu en qui seul l'homme peut avoir la vie et le bonheur pour lesquels il a été créé et auxquels il aspire[10]. »

On notera que l'éternité de la damnation de la vie en enfer est soulignée trois fois dans ce seul texte.

Le pape Jean-Paul II, en 1994, a donc pris une position contraire au *Catéchisme* publié sous son autorité en 1992. On peut arguer que ces deux textes n'ont pas la même portée, qu'il s'agissait, en 1994, d'un livre personnel et, en 1992, d'une œuvre collective. Laquelle, sans constituer l'exposé d'un dogme, était cependant, selon une sorte de lettre-préface écrite par le pape lui-même et datée du 11 octobre 1992, « un texte de référence sûr et authentique pour l'enseignement de la doctrine catholique ». Mais on ne peut que constater qu'il y a contradiction majeure entre les deux textes.

Il est vrai que le cardinal Ratzinger, qui a présidé aux travaux de rédaction du *Catéchisme*, avait écrit en 1977 : « Le dogme repose [...] sur une base solide quand il parle de l'existence de l'enfer et de l'éternité de ses châtiments[11]. » Et que, devenu le pape Benoît XVI, il a repris la même affirmation : « Jésus est venu nous dire qu'il nous veut tous au paradis et que l'enfer, dont on parle si peu de nos jours, existe éternellement pour tous ceux qui ferment leur cœur à l'amour du Père[12]. » Une formule peu conforme à ce que le concile avait laissé entendre.

On doit noter qu'a disparu de cette formule du cardinal Ratzinger l'idée qu'un seul péché, dit « mortel », puisse entraîner une peine éternelle, idée contraire au sens de la justice et à la foi en un Dieu « bon » et clément. Fermer le cœur à l'amour du Père, comme l'a dit Benoît XVI, peut s'entendre comme un comportement plus général. Mais il faut souligner que le cardinal Ratzinger s'avançait beaucoup, en 1977, en considérant l'existence de l'enfer comme un dogme.

En réalité si, comme le souligne ce pape, on parle bien peu de l'enfer de nos jours, c'est qu'un doute existe, à tous les niveaux de l'Église catholique – les textes cités ci-dessus le montrent assez – sur son existence et sa signification. Ce qui, pour l'histoire du christianisme, est un fait d'importance.

Essayons de voir maintenant ce qu'il en est du diable lui-même.

Pas plus que l'enfer, le diable ne figure dans le Credo.

L'Église n'a jamais considéré l'existence de Satan ou d'un diable non nommé comme un dogme au sens strict du terme, c'est-à-dire une vérité de foi définie, à laquelle tout catholique doit adhérer. Mais nombre de ses textes et des déclarations de ses plus hauts dignitaires prêtent à croire le contraire.

Et un long texte « préparé », dit-on, par un expert, intitulé « Foi chrétienne et démonologie », texte publié par la Congrégation pour la doctrine de la Foi (ex-Saint-Office) en 1975, dans l'*Osservatore Romano*, souligne l'existence « de Satan et de ses démons », mais il est obligé d'admettre que, au cours des siècles, celle-ci « n'a jamais fait l'objet d'une affirmation explicite de son Magistère » [de l'église].

De son côté, le *Catéchisme de l'Église catholique* rappelle d'abord (art. 391) la faute de « nos premiers parents », à laquelle ils ont été poussés par « une voix séductrice, opposée à Dieu » (il n'est plus question du serpent). Et il ajoute que « l'Écriture et la Tradition de l'Église voient en cet être un ange déchu, appelé Satan ou diable ». Ce texte s'inspire donc du Livre d'Henoch et se réfère au concile du Latran de 1215 qui souligne que « le diable et les autres démons ont certes été créés par Dieu naturellement bons, mais c'est eux qui se sont rendus mauvais ».

C'est un souci permanent de l'Église de souligner que les démons étaient des anges déchus. Parce que « tous les êtres visibles et invisibles » ont été créés par Dieu[13]. Il s'agit toujours d'affirmer qu'il n'existe pas un Dieu bon et un Dieu mauvais qui seraient en quelque sorte à égalité depuis l'origine. « Ne me dites pas que la malice a toujours existé dans le diable, écrivait saint Jean Chrysostome ; il en fut exempt dès l'origine, et ce n'est là qu'un accident de son être, accident survenu plus tard. » Quand ? On ne le sait. Avant la création de l'homme en tout cas, si l'on se réfère au texte de la Genèse. Pourquoi et comment ? L'explication du Livre d'Henoch, c'est-à-dire la « souillure » avec les femmes de la Terre, a été abandonnée assez rapidement. Mais – nous venons de le voir – le livre qui, le premier, a fait de Satan un ange déchu est annexé par le *Catéchisme de l'Église catholique* à la Tradition de l'Église dont l'autorité est évidemment moins forte que celle des Écritures. Il est possible de s'interroger sur cette question.

Le concile du Latran, qui fait référence en la matière, dit simplement que Dieu a créé « les anges et le monde, puis la créature humaine faite à la fois d'esprit et de corps ». Il n'existait donc que des anges bons, selon le même texte, on vient de le voir. Comment se sont-ils « rendus mauvais » ? Ce concile ne le dit pas. Restent deux hypothèses : les anges jaloux des hommes (voir p. 30) ou leur volonté de puissance. Demeure aussi un fait curieux : le concile Vatican I, en 1870, oublie complètement l'histoire des anges déchus. Le seul vrai Dieu, dit-il, a « créé de rien les deux sortes de créatures, les spirituelles et les corporelles, c'est-à-dire les anges et le monde, et ensuite la créature humaine, qui tient des deux, composée qu'elle est d'esprit et de corps » (Constitution « Dei Filius »). D'où est sorti le diable ? Ce texte ne le dit pas.

Car l'essentiel est ailleurs : l'affirmation qu'il n'existe qu'un seul Dieu. En la posant, Israël s'est distingué de tous ses voisins pour qui existaient des olympes peuplés de divinités aux fonctions diverses et aux pouvoirs inégaux. En l'affirmant, Israël a « inventé, écrit Marcel Gauchet, un dieu comme on n'en avait pas connu : un dieu construit en opposition à toute autre espèce de dieux. Le dieu de la sortie d'Égypte : un dieu incommensurable avec les dieux des Égyptiens, tout à fait à part et bien plus puissant qu'eux – potentiellement, donc, le seul véritable Dieu ». Il ajoute : « Il n'est pas le plus haut, mais le seul ; il ne se pense pas dans le registre du comparatif, mais dans le registre de l'exclusif[14]. » Le sort du diable était donc réglé d'avance, si l'on ose dire, dans le judaïsme, puis dans le christianisme et l'islam. Pas de comparaison imaginable avec Dieu. Pas d'anti-Dieu, de Dieu du Mal.

Seulement un ange déchu. Mais existe-t-il vraiment ? On pourrait le croire à lire le texte cité ci-dessus et publié par la Congrégation pour la doctrine de la Foi en 1975. Pour son auteur, les nombreux exorcismes effectués par Jésus chassaient du corps des possédés Satan lui-même, ou de véritables diables. Pour bien des exégètes, au contraire, Jésus libérait ces malades d'obsessions purement psychiques, les réintégrait ainsi dans la société qui ne voyait plus en eux de porteurs du Malin.

Dominique Cerbelaud, théologien dominicain, constate : « Notre époque redevient très sensible à l'idée d'une interaction entre le "physique" et le "spirituel" : on parle de maladies psychosomatiques, ou de guérisons obtenues par le pouvoir de l'esprit. Certes, nous utilisons plutôt le vocabulaire des "ondes" ou des "énergies" que celui des "esprits" et des "démons", mais peut-être y a-t-il là une possibilité de "relecture des Évangiles"[15]. »

En 1973, le cardinal Ratzinger, futur Benoît XVI, a publié dans une revue un article sur le diable qui passa relativement inaperçu. Mais qui fut remarqué par le grand théologien suisse Urs von Balthasar (que Jean-Paul II créa cardinal en 1988). « Lorsqu'on demande si le diable est une personne, écrivait le futur pape, on devrait plus justement répondre qu'il est la non-personne [ou l'anti-personne], la désintégration, la ruine de l'être-personne, et c'est pourquoi il est caractéristique de sa nature de se présenter sans visage. » Une phrase pour le moins complexe. Von Balthasar l'expliquait ainsi : « La personne présuppose toujours une relation positive à une autre personne, une forme de sympathie ou du moins une forme d'inclination ou d'intérêts naturels. Mais voilà précisément ce qu'on ne pourrait plus dire d'un être qui aurait rejeté entièrement, radicalement, Dieu, c'est-à-dire l'amour même[16]. » La condition première qui constitue une personne est une capacité d'aimer, si minime soit-elle. Ce qui n'était pas le cas de Satan dont Jésus a dit, selon l'évangéliste Jean : « Dès le commencement, ce fut un homicide ; il n'était pas établi dans la vérité, parce qu'il n'y a pas de vérité en lui » (Jn VIII, 44). Autrement dit, depuis toujours le diable a détruit, décréé si l'on préfère, par haine.

Mais si le cardinal Ratzinger a défini, en 1973, le diable comme une non-personne, il est revenu ensuite sur cette affirmation, s'en prenant même aux « théologiens superficiels » qui l'avaient avancée... Dans son livre *Entretien sur la foi*, daté de 1985, on lit en effet : « Quoi qu'en disent certains théologiens superficiels, le diable est, pour la foi chrétienne, une présence mystérieuse, mais bien réelle, <u>personnelle</u> [nous soulignons] et pas seulement symbolique[17]. » Dans une homélie prononcée le 8 janvier 2006 à la chapelle Sixtine, il a indiqué que, lors de la cérémonie du baptême, l'on dit trois « non » : aux tentations, au péché et au diable. On ne dit pas « non » à une « non-personne », comme l'écrivait Mgr Ratzinger en 1973... En 2006, il se référait au rituel qui fut conservé par le concile Vatican II. Lequel cite dix fois le démon, ou le Malin, ou les « esprits du mal », ou les « Puissances des Ténèbres », sans s'y attarder, sans donner sur lui aucune précision. Mais pour le présenter comme trompeur, tentateur et vaincu par le Christ. Tout cela au détour d'une phrase, dont il n'est pas le sujet principal.

Visiblement, il ne passionnait pas les Pères conciliaires. Les livres qui traitent de l'histoire du concile semblent, pour autant que j'ai pu les consulter, l'ignorer également.

Baudelaire a écrit un jour que « la plus grande ruse du diable était de faire croire qu'il n'existait pas ». D'autres, nombreux, que l'on ne croirait plus en Dieu si l'on ne croyait pas au diable. Mais le théologien allemand Hans Küng, l'un des rares à consacrer au diable quelques lignes, note avec raison que « Dieu n'a pas besoin d'un anti-dieu pour être Dieu[18] ». L'existence d'une chose ne rend ni fatale ni obligatoire l'existence de son contraire.

Sur celle du diable, l'Église catholique, on vient de le voir, n'est pas toujours affirmative aujourd'hui. Les Églises protestantes, en Europe du moins, n'en parlent guère. Le judaïsme pas davantage.

Tant mieux.

Renoncer à Satan

Il est impossible de conclure une telle histoire. Satan, bien sûr, va mal ; nous venons de le voir. Il est tellement banalisé dans la plupart des sociétés de la planète qu'il fait moins peur. Ou plus du tout. Ce qui ne signifie pas qu'il n'a aucun avenir. Mais il n'est plus utilisé pour résoudre l'équation du Mal.

Cette équation peut se formuler ainsi : s'il existe un Dieu tout-puissant, et si ce Dieu est bon, comment expliquer le Mal du monde ?

Plusieurs réponses ont été apportées, au fil des millénaires et des siècles, par diverses civilisations :

— Une solution souvent avancée (pp. 11 sq.) présente le Dieu Créateur du monde comme un être capable de faire le Mal ou le Bien, selon ses caprices ou ses raisons. Certaines religions anciennes l'ont clairement affirmé. Le judaïsme et le christianisme l'ont nié totalement. Mais il leur est arrivé de contribuer à propager ce sentiment : le judaïsme, en contant les actions d'un Yahvé prêt à frapper dur pour protéger le peuple élu ou Se faire obéir de lui ; le christianisme, en annonçant un Dieu, juge et vengeur, épiant les actions des hommes – et même leurs « plus secrètes pensées » à en croire les catéchismes longtemps utilisés – pour les punir en ce monde et dans l'au-delà s'ils n'obéissaient pas à Ses commandements.

— Une autre explication largement répandue, on l'a vu, est l'existence d'une divinité du Mal opposée à une divinité du Bien. Le judaïsme, le christianisme et l'islam, qui ont foi dans le Dieu unique, l'ont toujours fermement combattue. Parfois – triste ironie de l'Histoire – en pratiquant le Mal...

— Troisième réponse enseignée par bien des religions : l'existence de mauvais esprits, les diables, qui inspirent le Mal aux hommes et le pratiquent eux-mêmes. Ces diables, quelque nom qu'ils portent, sont inférieurs au Dieu bon et créateur. Mais, pour des raisons parfois obscures, Celui-ci ne parvient pas à les empêcher de nuire ou ne le souhaite pas. Parfois même, Il les utilise afin qu'ils exécutent de basses œuvres.

— Dernière explication : tout le Mal vient des hommes, inspirés par le diable, soit qu'ils aient commis dès l'origine une faute capitale qui a disloqué un monde parfait, soit qu'ils enchaînent les fautes, de génération en génération.

Cette explication a été la plus répandue en Occident et dans l'Islam. Mais, nous venons de le voir, les Églises récusent désormais, clairement ou à demi-mot, l'existence du diable. La plupart des théologiens s'accordent à penser qu'il n'est pas un être mais, selon la formule du cardinal Ratzinger devenu Benoît XVI, une non-personne, peut-être une force de « néantisation ».

Si bien que l'on pourrait inverser une très célèbre formule de Baudelaire et écrire que la plus grande ruse du diable a été de faire croire qu'il existait. Mais alors ? D'où vient le Mal ? Comment s'est-il introduit dans la Création, dans notre vie quotidienne ?

Il faut y regarder de plus près. Pour commencer, en relisant les deux récits de la Genèse placés au tout début de la Bible. En sachant que le plus bref, celui qui est en tête du Livre, a été, selon les spécialistes, écrit après le second...

Ce texte-là, donc, est plutôt une sorte de poème. Mais, dès la deuxième phrase – qui est ainsi la deuxième phrase que découvre tout lecteur de la Bible commençant par le commencement –, il indique que la Terre existait avant l'intervention de Yahvé : « La terre était vide et vague, les ténèbres couvraient l'abîme » (Gn I, 2). Il faut savoir que « vide et vague » s'écrit en hébreu « tohù » et « bohù », une expression qui correspond pour nous à un désordre grave, voire total. En outre, la mention des ténèbres et de l'abîme n'a rien de réjouissant. Le texte qui suit indique que, six jours auparavant, Dieu met de l'ordre dans ce chaos.

Donc, le Mal était déjà là. Il existait avant l'apparition de l'homme. Contrairement à l'expression si souvent répétée, avant « la faute de nos premiers parents ».

On peut, certes, arguer que ce premier récit-poème, ayant conté l'action de Dieu durant ces six jours, se termine par « Dieu vit tout ce qu'il avait fait : cela était très bon » (Gn I, 31). Comme si tout « était très bon » avant l'intervention d'Adam et Ève. Cet argument serait recevable si ce premier texte n'était pas le second à avoir été écrit, selon la plupart des spécialistes actuels de la recherche biblique[1].

Examinons maintenant celui qui vient en second et qui était très probablement le premier. Il introduit, dès les premières phrases, le doute sur ce « très bon ». On lit en effet : « Au temps où Yahvé-Dieu fit la terre et le ciel, il n'y avait encore aucun arbuste des champs sur la terre et aucune herbe des champs n'avait encore poussé » (Gn II, 4-5). Cette phrase, où l'on trouve deux fois le mot « encore », montre bien que son auteur évoquait lui aussi une situation préalable à l'intervention de Dieu où le monde existait déjà. Et n'avait rien d'un paradis.

L'idée que l'imperfection, le Mal, existait avant l'intervention d'Adam et Ève est d'ailleurs confirmée dans ce second récit. Celui-ci indique que, avant de créer l'homme puis la femme, Dieu plante « au milieu du jardin » l'arbre « de la connaissance du Bien et du Mal ». Voilà donc le « Mal déjà là ». Déjà là avant la « faute » des hommes. Et qui pousse à la faute ? Le serpent. Qui n'est qu'un serpent et non le diable auquel on l'a assimilé (voir p. 21) mais que l'auteur de ce texte présente comme « le plus rusé de tous les animaux des champs que Yahvé-Dieu avait faits » (Gn III, 1). Il n'est pas le seul rusé, notons-le. Seulement « le plus rusé » de tous les animaux. Le Mal est vraiment déjà là, sous diverses formes, dans ce que l'on présente généralement comme la perfection, le paradis. « L'illusion, écrivent Josy Eisenberg et Armand Abecassis, ce n'est pas notre monde du mélange du Bien et du Mal : l'illusion, c'est le Paradis[2]. »

Ainsi, le Mal préexistait à la faute, que l'on a appelée le péché originel[3].

Le paradis n'a pas été perdu. Il n'a pas existé.

Bien entendu, l'inexistence du péché originel, l'inexistence de Satan et, au contraire, l'existence du « Mal déjà là » n'exonèrent pas l'homme de toute responsabilité.

Nous y reviendrons.

Tirons auparavant une autre conclusion de ces deux textes de la Genèse : la Création est une histoire. L'histoire d'une sortie du tohu-bohu, du chaos. Qui n'est pas terminée. Et pour laquelle Dieu a besoin des hommes. Au début du second récit de la Genèse, l'auteur explique en effet que ni plantes ni herbes ne poussaient « car Yahvé-Dieu n'avait pas fait pleuvoir sur la terre et il n'y avait pas d'homme pour cultiver le sol » (Gn II, 5). L'enfantement de la Création, son développement, sont l'œuvre conjuguée de Dieu et de l'homme.

Mais il faut insister ici sur une notion encore peu familière aux croyants : Dieu n'est pas tout-puissant au sens où l'on entend habituellement cette expression. Il faudrait presque écrire : au contraire. Le théologien suisse Maurice Zundel disait : « Le centre de la révélation de Dieu en Jésus-Christ n'est pas la puissance de Dieu mais Son impuissance[4]. » De même, Joseph Ratzinger, futur Benoît XVI, écrivait, dès 1969, que « Dieu est allé jusqu'à l'extrême limite de l'impuissance[5] ».

Participer à cet enfantement de la Création, l'homme s'y refuse parfois, ou tente de l'empêcher. Dieu, Lui, ne Se lasse pas. Jésus, qui a cité volontiers les textes bibliques sans jamais faire allusion à la faute d'Adam et Ève ni aux récits de la Genèse, l'a dit un jour à quelques-uns de ses opposants.

C'était près d'une piscine de Jérusalem où il guérit un handicapé, le remit debout, le fit marcher. On lui reprocha d'avoir agi ainsi un jour de sabbat. Réponse : « Mon Père est à l'œuvre jusqu'à présent et moi aussi je suis à l'œuvre » (Jn V, 4-17). Ses auditeurs furent scandalisés. Parce qu'il appelait Dieu son père, bien sûr. Mais aussi parce que l'idée d'un Dieu toujours « à l'œuvre » leur était étrangère. Ils ne voyaient aucune raison pour que Dieu travaille encore (sinon pour protéger le peuple élu). L'idée d'une Création inachevée, toujours en train de se faire, comportant donc des « moins », des imperfections, rencontrant des obstacles, sujette à des accidents, leur était impensable.

On peut, certes, s'interroger : pourquoi le Créateur n'est-Il pas allé immédiatement au terme, n'a-t-Il pas « accompli » la Création ? À quoi il faut répondre qu'un Dieu-Amour ne peut créer un homme tout fait. Lequel ne serait pas libre. Aimer, c'est respecter la liberté de l'autre, le faire « être ». Mais pour « être », l'homme doit aussi se faire par lui-même, créer à son tour, faire. C'est par le travail si ingrat et limité soit-il, qu'il se réalise. Si l'homme avait été créé dans un monde fini, tout fait, il ne pourrait tout simplement pas être.

Cet inachèvement de la Création, ouvrant des possibilités au désordre, au hasard, entraîne évidemment de grands risques. Pierre Teilhard de Chardin écrivait : « On n'élève pas une montagne sans créer des abîmes et toute énergie est également puissante pour le bien et pour le mal[6]. » Toute énergie : celle de l'homme aussi. Et parfois surtout.

Tout le Mal du monde n'est pas dû à l'homme, évidemment. Mais celui-ci, bien sûr, est capable du Mal.

218

Ce livre l'a dit assez. Le Mal gît toujours au cœur de l'homme. Et Auschwitz l'a montré à l'extrême.

Sa liberté lui permet d'en user. Il en a la capacité. Il possède un « capital » de Mal. Au long de l'Histoire, il en a multiplié les moyens. Dans un texte pourtant positif et optimiste[7], le concile Vatican II a souligné l'existence, chez l'homme, d'un « penchant pour le mal ». Le philosophe Paul Ricœur utilise une autre expression : « la récalcitrance humaine ». Pour lui, semble-t-il, tout le discours biblique est marqué par la bipolarité dessein de Dieu-récalcitrance humaine[8].

Ce penchant pour le Mal, l'homme veut toujours le nier, s'en exonérer, faire porter à d'autres la responsabilité du Mal et de la souffrance. Aller jusqu'à les anéantir sous prétexte de les mettre « hors d'état de nuire ». Plutôt que d'éliminer la cause réelle du Mal.

La recherche des responsabilités n'est évidemment pas condamnable. Mais la priorité est à la lutte contre le Mal. L'Évangile de Jean raconte la rencontre de Jésus – peu avant son arrestation – avec un aveugle de naissance. Ses compagnons lui demandent qui a péché, les parents de cet homme ou lui-même, pour qu'il soit aveugle. Jésus répond que ce ne sont ni les uns ni l'autre. Il ajoute : « Tant qu'il fait jour, il nous faut travailler aux œuvres de Celui qui m'a envoyé. » Et il guérit l'aveugle (Jn IX, 17).

L'urgence est de lutter contre le Mal. Même quand on ne peut en déceler l'origine.

Car il est un Mal dont nous ne savons rien, ou presque rien. Dans son *Émile ou de l'éducation*, Jean-Jacques Rousseau écrit : « Homme, ne cherche plus l'auteur du mal, cet auteur, c'est toi-même. Il n'existe point d'autre mal que celui que tu fais. » Ce qui – répétons-le – n'est pas toujours vérifié, loin de là.

L'homme n'est pas pour autant libéré de sa responsabilité. Il doit distinguer le Mal du Bien. S'en prendre aux coupables. Sans se tromper : « Qu'as-tu à regarder la paille qui est dans l'œil de ton frère ? Et la poutre

qui est dans ton œil à toi, tu ne la remarques pas ? »
(Lc VI, 41). Mais il faut aussi protester, hurler comme
le firent des prophètes, quand son origine paraît
incompréhensible ou injuste. Cette révolte fait
l'homme. Mais ne le dégage pas de la nécessité d'agir,
de faire. Car faire le fait aussi.

Se décharger de sa responsabilité sur un diable quelconque est trop facile, enfantin.

La croyance en Satan rendit sans doute, parfois,
quelques services. Mais il est possible d'y renoncer sans
réels dommages. Au contraire.

Notes

I
Des diables partout

1. Cf. Issiaka-Prosper Lafarge, *Les religions de l'Afrique noire*, in *Le Fait religieux*, sous la dir. de Jean Delumeau, Paris, Fayard, 1993.

2. Cf. Mircea Éliade, *Histoire des croyances et idées religieuses*, Paris, Payot, t. III, 1983.

3. Cf. Anne-Marie Esnoul, *Histoire de l'hindouisme*, in *Histoire des religions*, sous la dir. de Charles-Henri Puech, Paris, Gallimard, coll. « La Pléiade », 1990.

4. Cf. *Mythologies du monde entier*, coll. sous la dir. de Roy Willis, éd. originale Duncan Baird Publishers, Londres, 1993 ; éd. française Paris, Bordas, 1994.

5. *Apologie de Socrate*, trad. française Paris, Flammarion, 1995.

6. Pour Platon, le foie est le siège de la partie inférieure de l'âme, la concupiscence, très éloignée de l'intellect, semblable à une bête brute. Il représente la sauvagerie de l'appétit alimentaire, son asservissement au besoin de nourriture. Mais, d'une certaine manière, l'élément immortel du divin que comporte l'âme humaine y est quand même présent. Cf. Marcel Detienne et Jean-Pierre Vernant, *La Cuisine du sacrifice en pays grec*, Paris, Gallimard, 1979.

II
Satan presque ignoré
de la Bible des Hébreux

1. André LaCocque et Paul Ricœur, *Penser la Bible*, Paris, Le Seuil, 1998.

2. Traduction appelée « la Septante ».

3. Cf. mon livre, *Dieu malgré tout*, Paris, Stock-Plon, 2005.

III
Les anges révoltés

1. *La Bible, écrits intertestamentaires*, sous la dir. d'André Dupont-Somer et Marc Philonenko, Paris, Gallimard, coll. « La Pléiade », 1987. Ce volume rassemble des écrits qumrâniens et des pseudépigraphes de l'Ancien Testament.

2. Selon le *Théétète*, texte où Platon fait dialoguer Socrate avec un certain Théétète. *Œuvres complètes*, T. VIII, 2e partie, Paris, Belles Lettres, 1926.

3. *La Bible, écrits intertestamentaires, op. cit.*

4. C'est Ézéchiel, prophète prêchant au VIe siècle avant J.-C., qui en donne la description la plus complète. Chaque chérubin est doté de quatre têtes : de face, une d'homme et une de lion, sur le côté gauche une tête de taureau, et enfin une tête d'aigle. Chacun porte quatre ailes, dont deux couvrent le corps. Enfin, ils ont des yeux partout. C'est qu'ils jouent un rôle de « gardiens » : par exemple à la porte du « Jardin d'Éden », le paradis, ils surveillent l'accès à « l'arbre de la Vie » dont le fruit est interdit à Adam et Ève.

Les séraphins, eux, sont dotés de six ailes (deux couvrant la face et deux les pieds, les autres servant évidemment à voler), ils apparaissent seulement vers le VIIIe siècle avant J.-C. dans une vision qui détermine la vocation du prophète Isaïe (Is VI, 2). Ils se tiennent au-dessus du Seigneur « assis sur un trône grandiose et surélevé ». Quand saint Ambroise, au IVe siècle après J.-C., parlera des « neuf chœurs des anges », il les fera réapparaître, assurant désormais leur célébrité. On les retrouvera notamment, bien sûr, dans des cantiques de Noël.

5. *La Bible, écrits intertestamentaires, op. cit.*

IV
Jésus et Satan

1. Elle date de la fin du Ier siècle et serait la quatrième d'un texte originel.

2. Il se réfère, entre autres, aux quarante années vécues par les Hébreux dans le désert à leur retour d'exil en Égypte. Dans le récit des tentations, d'ailleurs, Jésus répond à Satan avec des citations du Deutéro-nome (VI-8), texte attribué à Moïse.

3. Raymond E. Brown, *Que sait-on du Nouveau Testament ?*, New York, éd. originale Doubleday, 1997, trad. française Paris, Fayard, 2000.

4. René Girard, *Je vois Satan tomber comme l'éclair*, Paris, Grasset, 1999. Ce titre est une citation de l'évangéliste Luc (X, 18).

5. Quand Matthieu (XII, 43-45) et Luc (XI, 24-26) racontent la même parabole, ils soulignent que l'« Esprit mauvais », sorti de l'homme, ne s'avoue pas encore vaincu. Jésus, disent-ils, ajoute qu'il « erre dans des lieux arides en quête de repos ». N'en ayant pas trouvé il rentre chez lui, trouve sa demeure « balayée, bien en ordre ». Alors, il s'en va chercher sept autres esprits « plus mauvais que lui » ; ils reviennent l'accompagner « et y habitent ». Dans ce passage, Jésus veut souligner que le diable n'a pas dit son dernier mot. Il semble aussi préparer ses compagnons à ce qui les

attend à Jérusalem, vers laquelle ils se dirigent alors : l'épreuve suprême.

6. Certains ont vu, à tort ou à raison, dans l'utilisation du mot « Légion », une allusion aux Romains qui occupaient le pays.

Mais on notera que dans un épisode précédent du même Évangile, un possédé qui apostrophe Jésus (I, 24) parle aussi au singulier et au pluriel : « Je sais bien qui tu es, tu es venu pour nous perdre. »

7. Sigmund Freud, *Psychologie des foules et analyse du moi*, trad. française in *Essais de psychanalyse*, Paris, Payot, 1981.

V
Quand apparaît l'Antéchrist

1. Traduction de la Bible de Jérusalem, et aussi du chanoine Osty (Le Seuil, 1973). La Bible de Jérusalem (Cerf) écrit – prudemment ? – « dieu de ce monde » avec une minuscule. Mais la traduction de Sébastien Castellion qui date de 1555 (rééd. Bayard, 2005) et qui est, pense-t-on, la première traduction véritablement française de l'Écriture sainte, écrit « Dieu » avec une majuscule à cet endroit de la lettre de Paul. La traduction d'André Chouraqui (Desclée de Brouwer, 1995) dit de son côté « l'Élohim de cette ère » ; or Élohim, dans les textes bibliques, désigne, sauf très rares exceptions, le seul vrai Dieu.

2. *Dialogue avec Tryphon*, IIIL, 2.

3. Pour les questions de datation et l'identité des auteurs de ces textes, cf. Raymond E. Brown, *op. cit.*

4. Cf. *La Bible, écrits intertestamentaires, op. cit.*

5. Raymond E. Brown, *op. cit.*

6. Ce fut le cas de Jean Calvin, Picard finalement installé à Genève, grand réformateur, souvent nuancé et sensible, mais parfois très vif dans la polémique avec Rome.

7. Voir sur ce sujet Pierre Prigent, *L'Apocalypse de saint Jean*, Genève, Labor et Fides, 2000 ; Raymond E. Brown, *op. cit.* ; Gérard Mordillat et Jérôme Prieur, *Jésus sans Jésus*, Paris, Le Seuil-Arte Éditions, 2008.

8. Dans son livre *L'Alliance oubliée, la Bible revisitée* (Paris, Albin Michel, 2005), Annick de Souzenelle, bibliste orthodoxe, spécialiste de la langue hébraïque, interrogée par Frédéric Lenoir, indique que le chiffre 666 constitue la somme numérique de six lettres formant le mot hébreu qui signifie « comme Élohim », c'est-à-dire Dieu. Ce chiffre rappellerait donc le serpent promettant à Ève de devenir « comme Élohim ».

9. On trouve ces noms chez le prophète Ézéchiel, prêtre d'Israël déporté en Babylonie au VIe siècle avant J.-C. Il raconte (Ez XXXVIII, 3-9) la guerre menée par Gog, roi de Magog (qui signifie pays de Gog) contre le peuple de Dieu, Israël.

10. Cf. Raymond E. Brown, *op. cit.*

VI
Quand Satan enflamme l'imagination des Pères de l'Église

1. Cité par Omer Englebert, *La Fleur des saints*, Paris, Albin Michel, 1980.

2. *Annales*, trad. française Paris, Garnier-Flammarion (éd. de poche).

3. *Œuvres complètes*, Paris, trad. française Migne, 1994.

4. *Ibid.*

5. *Ibid.*

6. *Apologies* in *Œuvres complètes, op. cit.*

7. *Ibid.*

8. *Exhortation à la chasteté*, in *Œuvres de Tertullien*, Paris, éd. Louis Vires, 1852, t. III.

9. *De spectaculis*, in *ibid.*

10. *Prescription contre les hérétiques*, Paris, Cerf, 1957.

11. Voir notamment sur ce point Daniel Marguerat, *La Première Histoire du christianisme*, Paris, Cerf, 1999 ; John P. Meier, *Un certain juif : Jésus*, t. III, éd. originale Doubleday, New York, 2001, éd. française Cerf, 2005 ; Elisabeth Schüssler Fiorenza, *En mémoire d'elle*. Essai de reconstruction des origines chrétiennes de la théologie féministe, Paris, Cerf, 1986, et Didier Long, *Jésus, le rabbin qui aimait les femmes*, Paris, Bourin, 2008.

12. *Traité des principes*, Paris, Cerf, 1980.

13. *Contre Celse*, Paris, Cerf, 1969.

14. *La Liberté du choix*, in *Œuvres*, Paris, Cerf, 1986, t. II.

15. Cf. Jaroslav Pelikan, *Croissance de la théologie médiévale*, in *La Tradition chrétienne*, The University of Chicago, 1974, éd française Paris, PUF, 1994, t. III.

16. *Ibid.*

17. *Discours aux Grecs*, Paris, Félix Alcan, 1905.

VII
Le haut Moyen Âge : superstitions, magiciens et sorciers

1. *Op. cit.*

2. Cf. Jean-Claude Schmitt, *Les Superstitions*, in *Histoire de la France religieuse*, sous la dir. de Jacques Le Goff, Paris, Le Seuil, 1988, t. I.

3. Le Deutéronome (XIII, 1-4) dit : « Si un prophète surgit parmi vous en disant qu'il a vu un rêve et que ce qu'il a prédit arrive effectivement, et s'il t'a dit : "Allons, suivons les dieux étrangers que tu ignores et servons-les, n'écoute pas les paroles de ce prophète ou de ce rêveur, car c'est Dieu qui ainsi nous éprouve". »

4. Cf. Jacques Duquesne, *Saint Éloi*, Paris, Fayard, 1985. Sur la participation des clercs au développement des superstitions, cf. Pierre Riche, *La Pastorale populaire en Occident, VIᵉ-XIᵉ siècle*, in *Histoire vécue du peuple chrétien*, coll. sous la dir. de Jean Delumeau, Toulouse, Privat, 1979.

5. *Ibid*.

6. Cf. notamment *Histoire des dieux, des sociétés et des hommes*, coll. sous la dir. de Jean Cazeneuve, Paris, Hachette, 1984.

7. Mircea Eliade, *Histoire des croyances et des idées religieuses, op. cit.*

8. Cf. Jacques Le Goff, *Culture savante et culture populaire*, in *Un autre Moyen Âge*, Paris, Gallimard, coll. « Quarto », 1999.

IX
Autour de l'an mil : espoirs, terreurs et hérésies

1. Cf. *La Fin des temps, terreurs et prophéties au Moyen Âge*, préface de Georges Duby, textes traduits par Claude Carozzi et Huguette Taviant-Carozzi, Paris, Stock, 1982.

2. *Ibid*.

3. Cf. entre autres sur ce sujet mon livre *Jésus*, Paris, DDB-Flammarion, 1994.

4. Cf. « Hérésie », in *Dictionnaire encyclopédique du christianisme ancien*, Paris, Cerf, 1990, t. I.

5. Selon les manichéens (dont saint Augustin fit partie avant de se convertir au catholicisme), une partie du Dieu bon existe dans le monde, liée au corps et à la matière, mêlée au Mal. Le Dieu bon ne pouvait donc s'en désintéresser, se désintéresser du sort de l'humanité. Il la sauverait et, du même coup, se sauverait lui-même.

6. Cf. René Nelli, *Le Phénomène cathare*, Toulouse, Privat, 1964.

7. Le livre d'Anne Breton et Jean-Philippe de Tonnac, *Cathares, la contre-enquête* (Albin Michel, 2008), met en lumière la violence des adversaires des cathares. Mais il ignore quelque peu celle de leurs protecteurs ou alliés, par exemple le triste sort réservé aux assiégés de Pujols, en 1213, par le comte de Toulouse.

X
Où il apparaît que le Moyen Âge n'est pas toujours ce que l'on croit

1. Jacques Le Goff, *Un long Moyen Âge*, Paris, Tallandier, 2004. Voir aussi, du même auteur, *Pour un autre Moyen Âge*, Paris, Gallimard, 1977 ; et Bernard Valade, *La Vie au Moyen Âge*, in *Histoire des dieux, des sociétés et des hommes, op. cit.*

2. John Baldwin, *Paris 1200*, Paris, Aubier-Flammarion, 2006.

3. Jean Gimpel, *La Révolution industrielle du Moyen Âge*, Paris, Le Seuil, 1975.

4. Jérôme Baschet, *La Civilisation féodale de l'an mil à la colonisation de l'Amérique*, Paris, Aubier-Flammarion, 2004.

5. Jean Delumeau, *La Peur en Occident, XIVe-XVIIIe siècle*, Paris, Fayard, 1978.

6. Robert Muchembled, *Une histoire du diable, XIIe-XXe siècle*, Paris, Le Seuil, 2000.

7. Cf. Jacques Le Goff, *Un long Moyen Âge, op. cit.* Cette histoire mérite que l'on s'y arrête. La Bible des Hébreux, en effet, n'avait rien contre le rire. Le nom d'Isaac, fils du centenaire Abraham et de la nonagénaire Sara, signifiait « Que Dieu sourie, soit favorable ». Quand Dieu dit à Abraham que Sara lui donnera un fils, celui-ci, en raison de son âge, n'y croit pas

d'abord et se met à rire (Gn XVII, 17). Sara, qui « avait cessé d'avoir ce qu'ont les femmes » (Gn XVIII, 11), n'y croit pas davantage et « rit en elle-même », se disant : « Maintenant que je suis usée, je connaîtrais le plaisir ! Et mon mari qui est un vieillard ! » (Gn XII, 12-13).

Les Pères de l'Église chrétienne, eux, s'interrogeaient gravement : aucun des quatre Évangiles, en effet, n'indique que Jésus ait ri un seul instant, un seul jour. Or, il doit être le modèle de l'homme. D'où l'idée qu'il fallait proscrire le rire, le considérer comme un péché. Les premiers saints donnés en exemple aux croyants – des moines le plus souvent – se complaisaient plutôt dans la ferveur silencieuse et la tristesse.

8. Cf. Michel Pastoureau, *L'Ours, histoire d'un roi déchu*, Paris, Le Seuil, 2007.

9. Cf. Jean-Claude Schmitt, *op. cit.*

XI
Une faille dans le royaume diabolique

1. Cité par Bernard Valade dans *Histoire des dieux, des sociétés et des hommes, op. cit.*

2. Cités par Jean Delumeau dans *Le Péché et la Peur, la culpabilisation en Occident*, Paris, Fayard, 1983.

3. Auparavant « Actes de Pilate ». Cf. *Le Mystère apocryphe*, coll. sous la dir. de J.D. Kaetch et D. Marguerat, Genève, Labor et Fides, 1995.

4. Sur cette descente aux enfers, cf. Alain Houziaux, *Les Grandes Énigmes du Credo*, DDB, 2003.

5. Livre XXIX de *La Cité de Dieu*.

6. Cf. Jacques Le Goff, *La Naissance du purgatoire*, Paris, Gallimard 1981. Voir aussi Jean-Claude Schmitt, *Les Revenants. Les vivants et les morts dans la société médiévale*, Paris, Gallimard, 1994.

7. Aviad Kleinberg, *Péchés capitaux*, Paris, Le Seuil, 2008.

8. Trad. française Paris, Garnier-Flammarion, 2004.

9. Pierre Antonetti, *La Vie quotidienne à Florence au temps de Dante*, Paris, Hachette, 1979.

10. Régis Burnet, *L'Évangile de la Trahison*, Paris, Le Seuil, 2008.

11. Cité par Anne Régent-Susini, *L'Éloquence de la chaire, les sermons de saint Augustin à nos jours*, Paris, Le Seuil, 2009. On peut relever à l'inverse, dans le même ouvrage, le sermon prononcé à Gdansk, Pologne, en 1983, par Henryk Jankowski, aumônier ouvrier : « Dieu ne peut signifier pour toi peur et crainte ; c'est un Dieu plein d'optimisme, de joie et d'espoir. Mais de ton côté, il faut une foi profonde, doublée de courage, afin de surmonter la peur. » Ou encore ces paroles du pasteur Jacques Marty, mobilisé, le lendemain de Noël 1915, sur le front : « Jésus, dit-il dans un sermon prononcé devant quelques soldats, espère, il est sûr, que tôt ou tard tous les hommes seront sauvés, même ses ennemis, parce qu'il les aime. »

12. Augustin et, à sa suite, le concile de Carthage (915) estimaient qu'il existait « quelque chose de commun entre le diable et celui qui n'a pas mérité d'être cohéritier du Christ », c'est-à-dire l'enfant mort sans baptême. Augustin, dans son *Enchiridion*, évoque pour celui-ci la peine la plus douce possible. Mais Grégoire le Grand le voit condamné à des « tourments éternels ».

XII
L'Inquisition

1. Robert Delort, *La Vie au Moyen Âge*, Lausanne, Edita, 1972 ; éd. française Paris, Le Seuil, 1982.

2. Paul Christophe, *L'Église dans l'histoire des hommes*, Paris, Droguet-Ardant, 1982.

3. Pour justifier la torture (que le pape Nicolas Ier avait condamnée catégoriquement au IXe siècle),

Innocent IV expliqua que l'Église la tolérait pour les brigands et les voleurs ; or, les hérétiques étaient des voleurs de la foi chrétienne et des assassins des âmes.

4. Henri-Charles Lea, *Histoire de l'Inquisition au Moyen Âge*, trois vol., trad. française Grenoble, Jérôme Million, 1986-1990.

5. Cf. Paul Christophe, *op. cit.*

6. Cf. sur ce point Jacques Le Goff, *Saint Louis*, Paris, Gallimard, 1996. L'historien s'interroge assez longuement (pp. 785-787) sur le soutien de ce roi – pour lequel lui-même nourrissait quelque admiration – au « déplorable » Robert le Bougre : il a mis en exergue de son livre un texte de Voltaire disant, à propos de Saint Louis : « Il n'est pas donné à l'homme de porter plus loin la vertu. »

7. Henri Maisonneuve, *Études sur les origines de l'Inquisition*, Paris, Vrin, 1960.

8. Cf. Jacqueline Martin-Bagnaudez, *L'Inquisition, mythes et réalités*, Paris, Desclée de Brouwer, 1992.

XIII
Quand la Renaissance fait le succès de Satan

1. Cf. Jean Delumeau, *La Peur en Occident, op. cit.*, pp. 232 sq.

2. Cf. V.H. Debidour, *Le Bestiaire sculpté du Moyen Âge en France*, Paris, Arthaud, 1961.

3. Boccace, l'auteur du *Décaméron*, écrit : « Toute mesure de prophylaxie s'avéra sans effet. Les agents spécialement préparés eurent beau nettoyer la ville de monceaux d'ordures. On eut beau interdire l'entrée de la ville à tout malade et multiplier les prescriptions d'hygiène. On eut beau recourir, et mille fois plutôt qu'une, aux suppliques et prières qui sont d'usage dans les processions, et à celles d'un autre genre, dont les dévots s'acquittent envers Dieu. Rien n'y fit. »

4. Le chroniqueur florentin Muttes Vilani écrit : « S'adonnant à la paresse et à la dissolution, ils péchèrent par gloutonnerie, recherchant les festins, les tavernes et les délices d'une nourriture délicate aussi bien que les jeux, se laissant aller sans fin à la débauche… » Il ajoutait : « On laissait les domestiques et les femmes de basse condition se marier en ayant revêtu les beaux et riches vêtements des femmes nobles défuntes. »

5. Cf. Philippe Wolf, *Automne du Moyen Âge ou printemps des temps nouveaux ? L'économie européenne aux XIVᵉ et XVᵉ siècles*, Paris, Aubier, 1986.

6. Pour celle-ci, il faut pourtant citer l'Allemand Bauer dont les travaux furent à la base de nombreux médicaments, Paracelse, grand buveur dont les recherches aidèrent au développement de la médecine, et Bernard Palissy. Cf. notamment Daniel Boorstin, *Les Découvreurs*, éd. originale Random House, New York, trad. française Seghers, 1986.

7. Cf. Colin Ronan, *Histoire mondiale des sciences*, éd. originale *The Cambridge Illustrated History of the World's Science*, Twickenham, 1983, trad. française Paris, Le Seuil, 1982.

8. Cf. Robert Muchembled, *op. cit.*

9. D'après N. Eymerich-Fco Pena, *Le Manuel des inquisiteurs*, Paris-La Haye, 1973, cité par Jean Delumeau dans *La Peur en Occident*, *op. cit.*

10. Cf. Robert Mandrou, *Magistrats et sorciers en France au XVIIᵉ siècle*, Paris, Plon, 1968.

11. *La Peur en Occident*, *op. cit.*

12. Cf. Robert Muchembled, *op. cit.*

13. Cf. Colin Ronan, *op. cit.*

14. Cf., sur ce sujet, Herman Häring, professeur de théologie dogmatique, « Entre théorie, pratique et imagination », in *Concilium*, n° 274, « La fascination du mal », éd. française Paris, Beauchesne, 1998.

XIV
Le temps de Luther

1. Cité par Jean Delumeau, *La Peur en Occident, op. cit.*

2. À la mort de Grégoire XI, en 1378, le peuple romain, voulant avoir un pape italien, impose aux cardinaux l'élection de l'archevêque de Bari, qui prend le nom d'Urbain VI. Personnage austère mais quelque peu déséquilibré, il crée la division chez les cardinaux. Une partie d'entre eux, pour la plupart français, se réunissent secrètement pour élire le Français Robert de Genève qui prend le nom de Clément VII. Il est reconnu par la France, le Portugal, la Castille, l'Écosse. Mais c'est alors la guerre de Cent Ans : l'Angleterre et ses alliés préfèrent le pape de Rome. Plusieurs tentatives de conciliation échouent : l'une d'elles ne parvient qu'à élire un troisième pape, à Pise, Alexandre V. L'empereur allemand Sigismond réussit enfin à mettre un terme à cette situation et l'unité du catholicisme se reconstitue, en 1417, avec l'élection de Martin V, un Italien de grande famille qui n'était pas prêtre, mais fut ordonné dès le surlendemain.

3. Qui comporte par exemple la communion sous les deux espèces.

4. À la suite d'une vision, il est persuadé d'être l'ange annoncé dans l'Apocalypse (chap. XIV) qui porte l'Évangile à toutes les nations en criant : « Glorifiez Dieu car voici l'heure de son jugement. »

5. Marianne Mahn-Cot, *Christophe Colomb*, Paris, Le Seuil, 1960.

6. Cf. Jean Delumeau, *La Peur en Occident, op. cit.*

7. Il ne s'agit pas ici d'exposer complètement le grand débat sur la « justification » qui a séparé protestants et catholiques, à tel point que l'Épître de Paul aux Romains a été longtemps considérée comme le texte qui soulevait le plus de difficultés entre eux. Pour une analyse détaillée de l'évolution de Luther, voir notam-

ment Pierre Chaunu, *Le Temps des réformes*, Paris, Fayard, 1975.

8. Cf. Mircea Eliade, *Histoire des croyances et des idées religieuses, op. cit*. En 1567, le pape Pie V voulut mettre fin aux abus des indulgences.

9. Martin Luther, *Antithèse de la vraye et faulse Église extraite d'un livre envoyé au duc de Brunsvic*, 1544, in *Œuvres*, Paris, Gallimard, coll. « La Pléiade », 1999.

10. Martin Luther, *Œuvres*, Genève, Labor et Fides, 1957, t. XV.

11. Martin Luther, « Cours sur la Genèse », in *Œuvres, ibid.*, t. XVII.

12. Cf. Jaroslav Pelikan, *La Réforme de l'Église et du dogme*, in *La Tradition chrétienne, op. cit.*, t. IV.

13. Cité par Jean Delumeau, *La Peur en Occident, op. cit*.

14. Théodore de Bèze, *Epistre de Maistre Benoît Passavant à Messire Pierre Lizet*, cité par Claude Postel, *Traité des invectives au temps de la Réforme*, Paris, Les Belles Lettres, 2004.

15. *Ibid*.

16. Cité par Bob Claessens et Jeanne Rousseau dans *Notre Bruegel*, Anvers, éd. Fonds Mercator, et Paris, Albin Michel, 1975.

17. Il existe deux versions de ce tableau. L'une, exposée à Düsseldorf, montre Margot l'enragée avançant à travers la même scène de folie, mais où dominent le vert, le gris, le bleu. L'autre, exposée à Anvers, est tout entière dominée par un rouge infernal.

18. Dans *Les Batailles et Victoires du Chevalier céleste*, cité par Claude Postel, *op. cit*.

19. *Op. cit*.

XV
Juifs et femmes au pilori

1. Pie II, *Opera Omnia*, cité par Jean Delumeau, *La Peur en Occident, op. cit.*

2. Martin Luther, *Œuvres, op. cit.*, t, VII.

3. Ce fut par exemple le cas en Espagne et en Allemagne, lors de la peste noire.

4. Cf. Fernand Braudel, *La Méditerranée et le Monde méditerranéen à l'époque de Philippe II*, Paris, Armand Colin, 1949.

5. Jean Delumeau, *La Peur en Occident, op. cit.*

6. Léon Poliakov, *Histoire de l'antisémitisme*, Paris, Calmann-Lévy, 1955, t. I ; voir aussi Mark R. Cohen, *Sous le Croissant et sous la Croix, les Juifs au Moyen Âge*, éd. originale Princeton University Press, 1994, éd. française Paris, Le Seuil, 2008.

7. Luther a publié en 1523 un traité très « ouvert » à leur égard, *Jésus-Christ est né juif.*

8. Cité par Léon Poliakov, *op. cit.*

9. *Ibid.*

10. Cf. Carlo Ginzburg, *Les Batailles nocturnes*, éd. originale italienne, 1966, Einaudi, trad. française Paris, Verdier, 1980, Flammarion, 1984.

11. *Ibid.*

12. Cf. notamment dans le livre de Jean Delumeau, *La Peur en Occident, op. cit.*, tout le chap. 10 : « Les agents de Satan : la femme ».

13. Cité par Armelle Le Bras-Chopard, *Les Putains du Diable*, Paris, Plon, 2006.

14. Cf. Jacqueline Kelen, *Les Femmes de la Bible*, Paris, Albin Michel, 1985.

15. Jacques Le Goff, *La Civilisation de l'Occident médiéval*, Paris, Arthaud, 1962. Sur l'histoire de la misogynie chrétienne, on peut aussi se référer utilement au livre de Guy Bechtel, *Les Quatre Femmes de Dieu*, Paris, Plon, 2000.

16. Cf. Robert Muchembled, *op. cit.*

17. Cité d'après M. Hammes, *Hexenwahn and Hexenprozesse*, Francfort-sur-le-Main, 1977. In *Concilium*, « La fascination du mal », *op. cit.*, p. 24.

18. Cf. Jacques Chiffoleau, *La Crise et l'Institution*, in *Histoire de la France religieuse*, *op. cit.*, t. II.

19. Marc Venard, *La Grande Cassure*, in *Histoire de la France religieuse*, *op. cit.*, t. II.

XVI
Quand se déchaîne la chasse aux sorcières

1. Armelle Le Bras-Chopard, *op. cit.*, suggère que le long nez traduirait une masculinisation, nez et pénis étant associés dans l'imaginaire de l'époque. Elle cite un proverbe provençal : « Qui a bon nez a bon membre ».

Concernant la laideur des sorcières, Robert Muchembled souligne cependant qu'il exista dans la peinture allemande, au tournant du XVIe siècle, bien des représentations de jeunes sorcières belles et nues.

2. Henry Institoris, Jacques Sprenger, *Le Marteau des sorcières*, présenté par Armand Dumet, Paris, Plon, 1973.

3. R. Muchembled, *op. cit.*, estime que, « si l'on admet un tirage moyen de 1 000 à 1 500 copies par édition, cela signifie que plus de 20 000 exemplaires du livre ont pu circuler avant la Réforme, dont quelques milliers en France ».

4. Cf. *La Crise et l'Institution* par Jacques Chiffoleau, in *Histoire de la France religieuse*, *op. cit.*, t. II.

5. Jean Delumeau, *La Peur en Occident*, *op. cit.*

6. *Id*.

7. In Carlo Ginzburg, *op. cit.*

8. Cf. André Brulé, *Sorcellerie et emprise démoniaque à Metz et au pays messin*, Paris, L'Harmattan, 2006.

9. Pierre de Lancre, *Tableau de l'inconstance des mauvais anges et des démons où il est amplement traité des sorciers et de la sorcellerie.* Publié en 1610, le livre a été réédité en 1982, chez Aubier.

10. Henri Boguet, *Discours exécrable des sorciers.* Publié en 1602, le livre a été réédité en 1980 au Sycomore.

11. Cf. « La sorcière », in Guy Bechtel, *op. cit.*

12. Carlo Ginzburg, *op. cit.*

13. *Ibid.* Jean Bodin, déjà cité, écrit de son côté que toutes, « généralement sans exception, confessaient que le diable avait copulation charnelle avec elles ».

14. *Op. cit.*

15. Mircea Eliade, *op. cit.*, t. III.

16. Les chiffres les plus élevés sont donnés par Margaret L. King, dans *La Femme de la Renaissance*, éd. originale italienne Giuseppe Laterza et Figli Spa, Rome, 1988 ; éd. française Paris, Le Seuil, 1990. L'auteur souligne cependant que la persécution des femmes fut relativement modérée en Italie mais aussi en Angleterre, où les lois interdisaient la torture : on y compta moins de 1 000 exécutions ; mais plus de 4 000 en Écosse.

17. Il importe de donner une place spéciale à ce qu'on appelle l'Inquisition espagnole. Celle-ci fut établie en 1478 par le pape Sixte II à la demande des souverains Ferdinand et Isabelle, les Rois catholiques de l'Espagne. Lors de la reconquête de la péninsule Ibérique contre les musulmans, les juifs, considérés comme des ennemis en puissance par les chrétiens, avaient été contraints de se convertir en masse. Mais, bientôt, on voulut s'assurer de la sincérité de ces conversions. Les deux souverains obtinrent du pape le pouvoir de nomination des inquisiteurs, ce qui n'innocente pas l'Église de sa responsabilité dans cette tragique histoire. Elle se traduisit par de nombreuses tortures et exécutions, auxquelles reste attaché le nom du plus célèbre inquisiteur d'Espagne, le dominicain Torquemada, qui orga-

nisa ces tribunaux à la fin du XVe siècle. Avec les juifs, cette inquisition s'en prit aux maures. Et, bien qu'elle ne concernât pas la sorcellerie à l'origine, elle étendit ensuite ses activités, s'en prit même, pour soupçon d'illuminisme, au jeune Ignace de Loyola, fondateur des jésuites, et à Thérèse d'Avila. Elle s'attaqua aussi aux protestants et connut un regain d'activité lorsque les troupes de Napoléon entrèrent en Espagne en 1810, avant de cesser d'exister en 1834. Dans son livre *La Logique des bûchers* (Le Seuil, 2009), Nathan Wachtel, professeur au Collège de France, se fondant sur les archives des tribunaux de l'Inquisition ibérique, montre que ceux-ci, utilisant des pratiques rationnelles, ont contribué à l'émergence d'une modernité qui est celle des systèmes totalitaires du XXe siècle.

18. Alessandre Stella, « L'Inquisition, le prêtre et le sexe », in *L'Histoire*, mensuel, n° 329, mars 2008.

XVII
Possédés et exorcistes

1. Asmodée est le démon des plaisirs « impurs » dans la Bible et la littérature juive. D'autres démons parlant par la voix des religieuses, disaient se nommer Concupiscence, Fornication, Pollution, ou encore Léviathan, symbole du paganisme dans la Bible.

2. Il s'agit de ce qu'on nommait naguère névrose hystérique, qui pousse à se montrer, à susciter l'intérêt ou l'émotion, à séduire, et qui peut se traduire par une somatisation, c'est-à-dire l'expression de symptômes physiques : paralysie, cécité, malaises divers. Les recherches menées plus tard sur la vie de Jeanne des Anges par d'autres religieuses (les visitandines de Rennes) ont montré que sa mère, « en même temps qu'elle produisait ses autres sœurs, la tenait très simplement habillée pour lui ôter les

moyens de se produire, ce que Jeanne ne pouvait souffrir avec grand chagrin » et évoquent une éducation traumatisante.

3. Michel de Certeau, *La Possession de Loudun*, Paris, Julliard, 1970.

4. *La Démonomanie des sorciers*, voir ci-dessus p. 234 n. 13.

5. *Op. cit.*

6. Cf. Armelle Le Bras-Chopard, *op. cit.*

7. Cf. Robert Muchembled, *op. cit.*

8. *Ibid.*

9. Gregory Hanlon et Geoffroy Snow, « Exorcisme et cosmologie tridentine : trois cas agenais en 1619 », in *Revue de la Bibliothèque nationale* n° 28, 1988.

10. Notamment par le psychiatre André Cuvelier, *Énergumènes, possédés et mystiques*, in *Histoire des faits de sorcellerie*, Angers, Presses de l'université d'Angers, 1985. La romancière Françoise Mallet-Joris a fait de l'histoire d'Elisabeth de Ranfaing le sujet de son roman, *Trois âges de la nuit*, Paris, Grasset, 1968. Elle est relatée en détail par Jean Vernette, dans *La Sorcellerie*, Limoges, Droguet et Ardant, 1991.

XVIII
Le progrès et l'État
contre la peur et le diable

1. Daniel Boorstin, *op. cit.*

2. Balthasar Bekker, *Le Monde enchanté ou Examen des communs sentiments touchant les esprits, leur nature, leur pouvoir, leur administration et leurs opérations*, éd. en français, Amsterdam, Pierre Rotterdam, 1694, 4 vol. Cité par R. Muchembled, *op. cit.*

3. Jean Delumeau, *Le Péché et la Peur, la culpabilisation en Occident, XIIIᵉ-XVIIIᵉ siècles*, Paris, Fayard, 1983.

4. Cité par Robert Muchembled, *op. cit.*

5. Bossuet, *Œuvres*, Rennes, 1862, t. II. Cité par J. Delumeau, *Le Péché et la Peur, op. cit.*

6. Cité par Jean Delumeau, *Le Péché et la Peur, op. cit.*

7. *Ibid.*

8. Cité par Élisabeth Labrousse et Robert Sauzet, *La Lente Mise en place de la réforme tridentine*, in *Histoire de la France religieuse, op. cit.*, t. III.

9. Emmanuel Le Roy Ladurie, *Montaillou, village occitan, de 1294 à 1324*, Paris, Gallimard, 1975.

10. Valentin Jamerey-Duval, *Mémoires, enfance et éducation d'un paysan au XVIIIᵉ siècle*, prés. de Jean-Marie Goulemot, Paris, Le Sycomore, 1981.

11. L'historien Didier Julia note que les curés jugent leurs paroissiens « superstitieux, pleins de préjugés, fanatiques » (Didier Julia, *Le Prêtre*, in *L'Homme des Lumières*, sous la dir. de Michel Vovelle, éd. italienne Giuseppe Laterza et Figli Spa, Rome-Bari, 1992, édition française Paris, Le Seuil, 1996).

12. Dans *La Peur en Occident, op. cit.*

13. Robert Mandrou, *Magistrats et sorciers en France au XVIIᵉ siècle. Une analyse de psychologie historique*, Paris, Plon, 1968.

14. F. Spee von Langenfeld, *Caution criminalis, Allemagne 1631 : un confesseur des sorcières parle*, trad. française Paris, L'Harmattan, 2000.

15. *Op. cit.*

16. En Angleterre, cependant, les condamnés n'étaient pas brûlés, mais pendus, et la torture a été employée pour extorquer des « aveux ».

17. En politique étrangère, et, à l'intérieur, avec les jansénistes qu'il considérait comme de possibles opposants politiques.

XIX
Et si le Mal venait de l'homme ?

1. Jean-Jacques Olier, *L'Âme cristal*, édité, présenté et annoté par Mariel Mazzocco, publié pour la première fois en septembre 2008 par les éd. du Seuil. Le manuscrit de ce texte appartient au Fonds des archives de la Compagnie des prêtres de Saint-Sulpice.

2. Bizarrement, Daniel De Foe s'intéresse assez longuement à la représentation de Satan par un bouc et finit par conclure qu'il serait plus à propos de le placer parmi les chats.

3. Bibliographie citée par Robert Muchembled, *op. cit.* Sur l'ensemble du développement de cette littérature, j'utilise ici des éléments qu'il a rassemblés et commentés.

4. *Op. cit.*

5. Cf. Robert Mandrou, *op. cit.*

6. Cf. Jean et Renée Nicolas, *La Vie quotidienne en Savoie aux XVIIe et XVIIIe siècles*, Paris, Hachette, 1979.

7. Cité par R. Muchembled, *op. cit.*

8. Bernard Mandeville, *La Fable des abeilles ou les vices privés font le bien public*, rééd., Paris, Vrin, 1990.

9. D.A.F. de Sade, *Justine ou les Malheurs de la vertu*, Paris, rééd. Gallimard, 1981.

10. Cf. Robert Muchembled, *L'Orgasme et l'Occident*, Paris, Le Seuil, 2005, et Alexandrian, *Histoire de la littérature érotique*, Seghers, 1989.

11. Cité par Robert Mauzi, *L'Idée de bonheur dans la littérature et la pensée françaises du XVIIIe siècle*, Paris, Armand Colin, 1960.

12. Emmanuel Kant, *Critique de la raison pure*, première éd. en 1781.

13. Cité par C. Havelange, *Les Figures de la guérison (XVIIe-XIXe siècle). Une histoire sociale et culturelle des professions médicales au pays de Liège*, Bibliothèque de la faculté de philosophie et des lettres, Liège, 1990. Tocqueville écrit (dans *L'Ancien Régime et la Révolu-*

tion) : « Je ne sais si, à tout prendre et malgré les vices de quelques-uns de ses membres, il y eut jamais dans le monde un clergé plus remarquable que le clergé catholique de France au moment où la Révolution l'a surpris, plus éclairé, plus national, moins retranché dans ses seules vertus et en même temps de plus de foi. [...] J'ai commencé l'étude de l'ancienne société plein de préjugés contre lui. Je l'ai finie plein de respect. »

14. Cf. Vincenzo Ferrone, *L'Homme de science*, in *L'Homme des Lumières, op. cit.*

15. Dans la nouvelle *L'Homme aux quarante écus*, Paris, 1768.

16. Le jansénisme (du nom du Hollandais Jansen, évêque d'Ypres) professait une théologie pessimiste. Il considérait l'homme si corrompu par le péché originel que seule la grâce divine, bien davantage que son action personnelle, pouvait assurer son salut. Il s'opposait aux jésuites qui insistaient sur la coopération de la volonté humaine à l'œuvre de la grâce. Louis XIV, montant sur le trône après la Fronde, vit dans ce mouvement religieux l'amorce d'une opposition à son pouvoir, et s'opposa rudement aux jansénistes. Après une période de calme relatif, la querelle reprit en 1701, les jansénistes recevant, au moins à Paris, un certain appui populaire.

17. Maîtresse du roi de 1737 à 1739, la marquise de Mailly fut bientôt remplacée par sa sœur cadette...

18. À la suite d'attaques dirigées en sous-main par les jansénistes et, entre autres affaires, de la publication, par ceux-ci, de la traduction d'une œuvre d'un jésuite allemand affirmant l'indépendance totale du clergé vis-à-vis des puissances séculières. Sur toutes ces affaires, voir Dominique Julia, *Le Déclin institutionnel et politique du catholicisme français*, in *Histoire de la France religieuse, op. cit.*, t. III.

19. Cité par Dominique Julia, *Du roi très chrétien à la laïcité républicaine*, in *Histoire de la France religieuse, op. cit.*

20. Cf. Gérard Chalvy, *Réalités de la religion populaire dans la France contemporaine*, in *La Religion populaire, approches historiques*, sous la direction de Bernard Plongeron, Paris, Beauchesne 1976.

21. Cf. Jean-François Soulat, *La Vie quotidienne dans les Pyrénées sous l'Ancien Régime*, Hachette, 1974.

22. Cependant, en 1794 et 1800, la pauvreté des travailleurs des champs et des villes les rend sensibles aux prédications d'hommes et de femmes qui annoncent une apocalypse (cf. Jacques Solé, *Les Révolutions de la fin du XVIIIe siècle aux Amériques et en Europe*, Paris, Le Seuil, coll. « Points », 2005).

23. Cf. Fernand Braudel, *Civilisation matérielle, économie et capitalisme XVe-XVIIIe siècle*, t. III, *Le Temps du monde*, Paris, Armand Colin, 1979.

XX
Bizarreries de la Révolution
et de ses suites

1. Cf. Claude-Henri Rocquet, *Goya*, Buchet-Chastel, 2008. Critique et historien, ami de Mircea Eliade, Claude-Henri Rocquet évoque dans ce grand livre le célèbre tableau où Judith (qui représente l'Espagne, envahie par les troupes de Napoléon en 1808) met à mort, pour sauver la petite nation juive, le général Holopherne. On y voit une sorte d'ogre dévorant un jeune corps. C.H. Rocquet écrit : « Il est Satan. [...] Satan, bouche d'enfer, n'est-ce pas la vieille image du Diable au tympan des cathédrales [...] ? Satan, comme un lion cherchant qui dévorer. »

2. Cité par Robert Muchembled, *Une histoire du diable, op. cit.*

3. Michelet, *Histoire de la Révolution française*, 1847, Paris, rééd. Robert Laffont, coll. « Bouquins », 1979.

4. *Ibid.*

5. Ainsi Philippe Murray, *Le XIXᵉ siècle à travers les âges*, Paris, Denoël, 1984.

6. Cf. Jacques Solé, *op. cit.*

7. Jacques Solé, *op. cit.*, donne dans son livre une abondante bibliographie sur les réactions italiennes à l'occupation française.

8. Cité par Robert Muchembled, *op. cit.*

9. Cité par Claude-Henri Rocquet, *op. cit.*

10. Victor Hugo, *La Fin de Satan*, in *Œuvres complètes*, Poésie IV, Paris, Robert Laffont, coll. « Bouquins », 1986.

11. Cité par Philippe Murray, *op. cit.*

12. On trouve aussi dans la littérature populaire de l'époque des livres pour enfants intitulés *Le Petit Sorcier*, ou *Le Sorcier amusant*. Il s'agit dans le premier cas d'une méthode pour tirer les cartes et dans le second des recettes d'opérations magiques avec une « baguette enchantée ».

XXI
Le bric-à-brac de l'irrationnel
au temps de Freud et de Nietzsche

1. Georges-Emmanuel Clancier, *La Vie quotidienne du Limousin au XIXᵉ siècle*, Paris, Hachette, 1976.

2. André Guérin, *La Vie quotidienne en Normandie au temps de Madame Bovary*, Paris, Hachette, 1991.

3. Cf. Philippe Boutry, *Les Mutations des croyances*, in *Histoire de la France religieuse, op. cit.*, t. III, 1991.

4. Jacques Léonard, *La Vie quotidienne du médecin de province au XIXᵉ siècle*, Paris, Hachette, 1977.

5. Assez célèbres et recherchés pour que l'éditeur des *Évangiles du Diable*, Paris, Robert Laffont (coll. « Bouquins », 1990), dus à Claude Seignolle, spécialiste du folklore qui a traqué sur le terrain, au milieu du XXᵉ siècle, l'image du diable conservée par l'imagination

populaire, ait cru bon de signaler sur la couverture que ce livre de 1 100 pages comprenait l'intégralité des textes du *Grand* et du *Petit Albert*.

6. On trouve par exemple dans *Le Grand Albert* des assertions du type : « On peut connaître à la plante des pieds les choses heureuses ou malheureuses qui arriveront à un homme, ses inclinations, ses mœurs et s'il vivra longtemps. Cependant, on remarquera que les plantes des pieds qui ont de longues raies présagent plusieurs dangereuses maladies, des peines, la pauvreté et la misère ; celles qui en ont de courtes marquent toutes sortes de malheurs » (*sic.*) Il existe aussi des conseils : « Pour ramollir le fer, prenez l'eau qui nage au-dessus du sang d'un homme qu'on aura saigné ; après, faites rougir votre fer dans le feu et avec une plume trempée dans ladite eau vous le frotterez tant qu'elle durera ; c'est un secret infaillible. » D'autres pages évoquent l'influence des planètes sur le corps, ou résument à leur manière l'histoire de la Bible. *Le Petit Albert*, lui, qui est un fourre-tout du même type, doit peut-être une partie de son succès à ses premières pages, faites de conseils ou de mises en garde pour la vie sexuelle... accompagnés d'une oraison en latin.

Quant à la mention « Tourne la page, si tu es assez hardi », ou toute autre de ce type, Jeanne Favret-Saada, ethnologue, qui a consulté une petite dizaine d'éditions du *Grand* et du *Petit Albert* publiées entre 1703 et 1920, souligne qu'elle ne les a trouvées dans aucune d'entre elles. Elle estime que « les désorceleurs – qui prétendent être les seuls à pouvoir lire de pareils ouvrages sans devenir sorciers à leur tour – sont à l'origine de toutes les "informations" des ensorceleurs sur ce point » (Jeanne Favret-Saada, *Les Mots, la Mort, les Sorts*, Paris, Gallimard, 1977). En revanche, dans sa présentation des deux livres (voir ci-dessus n. 5), Claude Seignolle, spécialiste reconnu des textes « diaboliques », semble tenir cette mention pour réelle. Il est vrai que, pour cette présentation, il a adopté un style plutôt ironique...

7. L'abbé Alfred Monnin, qui publia un livre sur Jean-Marie Vianney en 1874, livre plusieurs fois réédité jusqu'au XXe siècle, raconte : « Ordinairement, à minuit, trois grands coups contre la porte du presbytère avertissent le curé d'Ars de la présence de son ennemi ; et, suivant que son sommeil était profond ou léger, d'autres coups plus ou moins rudes se succédaient en approchant. Après s'être donné le divertissement d'un affreux tintamarre dans l'escalier, le démon entrait : il se prenait aux rideaux et les secouait avec fureur comme s'il eût voulu les arracher. » Selon cette biographie, publiée peu après la mort du curé d'Ars, le diable appelait « Vianney ! Vianney ! ajoutant à son nom des qualifications outrageantes ».

8. Cf. Philippe Murray, *op. cit.*

9. Lettre à Louise Colet, qui tenait un salon très fréquenté et qui, après un voyage en Orient, participera à la Commune ; elle mourut en 1876. Cité par Philippe Murray, *op. cit.* Le diacre Pâris, au XVIIIe, s'était rendu populaire par son austérité et sa charité. Si Flaubert le cite ici, c'est en raison des guérisons « miraculeuses » qui se seraient produites sur sa tombe, au cimetière Saint-Médard à Paris. Marguerite-Marie Alacoque, elle, était une religieuse qui bénéficia au XVIIe siècle d'apparitions de Jésus-Christ et contribua au développement du culte du Sacré-Cœur.

10. À Lourdes, La Salette et Pontmain.

11. Cité par Philippe Boutry, *op. cit.*

12. *Ibid.*

13. Allan Kardec, le prophète du spiritisme, avait déjà répondu, dans son *Livre des esprits*, que lesdits esprits avaient fait savoir que « s'il y avait des démons, ils seraient l'œuvre de Dieu, et Dieu serait-il juste et bon d'avoir fait des êtres éternellement voués au mal et malheureux ? ».

14. Abbé Brulon, *L'Explication du catéchisme*, Paris, Tequi, 1891.

15. Dans un *Catéchisme en images*, édité en 1908 par la Maison de la Bonne Presse à Paris, Satan trône au-dessus de l'enfer, une fourche à la main. Les damnés basculent jusqu'au bord d'une grande muraille du haut de laquelle les démons précipitent leurs victimes. Dans l'enfer, des maux spécifiques correspondent à chacun des péchés capitaux :

— un paon ouvre le corps des orgueilleux qui sont contraints par un démon de s'agenouiller devant le maître des enfers.

— un crapaud contraint les avares à tituber sous le poids d'une énorme bourse.

— un bouc se charge des luxurieux : leur ventre est déchiré par des bêtes féroces.

— les envieux sont mordus par des serpents.

— un pourceau surveille les gourmands qui sont contraints à la faim et à la soif perpétuels.

— le lion règne sur les coléreux qui s'entredéchirent, excités par des diablotins.

— la tortue, enfin, garde les paresseux : attachés à des lits de braise, ils sont piqués par d'horribles scorpions.

16. Élisabeth Roudinesco et Michel Plon, *Dictionnaire de la psychanalyse*, Paris, Fayard, 1997.

17. *Une névrose démoniaque au XVIIe siècle*, 1923. Trad. française de Marie Bonaparte et Mme E. Marty dans *Revue française de psychanalyse*, Paris, Doin, 1927, t. 1, fasc. 1, 2 et 3.

18. Cf. sur ce sujet, Jean-Didier Vincent, *La Chair et le Diable*, Paris, Odile Jacob, 1996.

19. Cf. Daniel Halévy, *Nietzsche*, Paris, Grasset, 1944.

20. « Il n'y a jamais eu qu'un seul chrétien, écrit-il, et il est mort en croix », cité par D. Halévy, *op. cit.* Et aussi : « Le christianisme est encore possible à tout instant. Il n'est lié à aucun des dogmes qui se sont parés de son nom : il n'a besoin du Dieu personnel, ni du

péché, ni de l'immortalité, ni de la rédemption, ni de la foi ; il n'a besoin d'aucune métaphysique, moins encore de l'ascétisme. »

21. Cité par Jean Granier, « Nietzsche », in *Dictionnaire des philosophies*, Paris, Encyclopaedia Universalis, Albin Michel, 1998.

XXII
Quand l'homme fait le diable...
ou s'en accommode

1. Roger Boussinot, *L'Encyclopédie du cinéma*, Paris, Bordas, 1984, t. II ; Georges Sadoul, *Georges Méliès*, Paris, Seghers, 1961 ; Jean Tulard, *Dictionnaire du cinéma*, Paris, Robert Laffont, coll. « Bouquins », 1982, t. I.

2. Cité par Robert Muchembled, *Une histoire du diable, op. cit.*

3. *Grand Larousse de la langue française*, coll. sous la dir. de Louis Guilbert, René Lagane et Georges Niobey, Paris, Larousse, 1972.

4. Allusion au château de Vauvert, situé près de Paris. Mais il existe un Vauvert, chef-lieu de canton du Gard. Celui-ci correspondrait mieux à l'expression, étant situé à plus de 700 kilomètres de Paris. Cependant, le château peut se prévaloir, dit-on, d'avoir été hanté.

5. Sigmund Freud, *Une névrose démoniaque au XVIIe siècle*, 1922, trad. française 1985, Paris, Gallimard. Le titre devient *Une névrose diabolique au XVIIe siècle*. Repris dans *Œuvres complètes*, Paris, PUF, 1991, t. XVI.

6. Eugène Enriquez, *De la horde à l'État*, Paris, Gallimard, 1983.

7. Échantillon de 1 000 personnes, représentatif de l'ensemble de la population âgée de 18 ans et plus. Méthode des quotas.

8. Dépêche de l'agence France-Presse datée du 17 février 2005.

9. « Les exorcistes spécialistes de la réconciliation », article de Marie-Christine Vidal, in « Croire.com », site de Bayard Presse, 31 décembre 2008.

10. Flavius Josèphe, *Guerre des Juifs*, t. VII, p. 180. Voir sur ce sujet Marie-Françoise Baslez, *Bible et Histoire*, Paris, Fayard, 1998, chap. VI.

11. Chiffres cités par Robert Muchembled, *op. cit.*

12. Cette réunion a été organisée à Lyon le 3 février 2006 par Mgr Philippe Gueneley, évêque de Langres (Haute-Marne), « chargé d'accompagner les exorcistes catholiques ». Une centaine de prêtres y ont participé (dépêche de l'Agence France-Presse datée du 3 février 2006).

13. Jeanne Favret-Saada, *Les Mots, la Mort, les Sorts, op. cit.*

14. Le journal *La Voix du Nord* du 25 décembre 2008 signalait qu'un office protestant de Noël était célébré pour la première fois dans une maison de Villeneuve-d'Ascq, grande ville de l'agglomération lilloise, dans une maison considérée depuis longtemps comme hantée. Le pasteur de l'assemblée évangélique Nouvelle Alliance, rattachée à la Fédération protestante de France, Emmanuel Kamondji, a expliqué au journaliste : « On connaissait la rumeur, on a organisé des séances de prières de jour comme de nuit. Cette maison, on l'a délivrée. Dieu change l'impossible en possible. »

XXIII
Hésitations et contradictions romaines

1. *Catéchisme en images, op. cit.* Voir p. 247 n. 15.

2. Cf. *Vatican II, l'intégrale*, éd. bilingue (français et latin) de l'ensemble des textes, introd. de Christoph Theobald, Paris, Bayard Compact, 2002. Il s'agit d'un

très gros ouvrage : les textes issus de ce concile représentent à eux seuls un tiers du total des textes issus des vingt et un conciles œcuméniques précédents. L'absence du mot enfer est d'autant plus significative. Le mot purgatoire, lui, apparaît deux fois.

3. C'est ce qu'indique l'Épître aux Hébreux II, 14. Voir aussi Ap. I, 18 et 22, 13, ou Mt XXVII, 52 sq.

4. Concile de Constantinople en 543. Voir à ce sujet Olivier Clément, « L'enfer dans le christianisme », in *Dictionnaire de la théologie chrétienne*, Paris, Encyclopaedia Universalis, Albin Michel, 1983.

5. Isaac le Syrien, *Traités ascétiques*, in *Œuvres spirituelles*, trad. française Paris, Cerf, 1981.

6. Cité par Urs von Balthasar, *L'Enfer. Une question*, Paris, Desclée de Brouwer, 1988.

7. Bernard Sesboué, *Croire, invitation à la foi catholique pour les femmes et les hommes du XXIᵉ siècle*, Limoges, Droguet et Ardant, 1999.

8. Joseph Moingt, *Dieu qui vient à l'homme*, Paris, Cerf, 2007.

9. Jean-Paul II, *Entrez dans l'espérance*, Paris, Plon-Mame, 1994.

10. Article 1035 du *Catéchisme de l'Église catholique*, Rome, Libreria Editrice Vaticana, 1992, éd. française Paris, Mame/Plon, même année.

11. Joseph Ratzinger, *La Mort et l'au-delà*, éd. originale Regensburg, Friedrich Ruotet, 1977, trad. française 1979, Paris, Fayard.

12. Homélie du cinquième dimanche de Carême, mars 2007.

13. Concile de Nicée en 325.

14. Marcel Gauchet, *Le Désenchantement du monde*, Paris, Gallimard, 1985.

15. Dominique Cerbelaud, *Le Diable*, Paris, les Éd. de l'Atelier, 1997.

16. Urs von Balthasar, *Espérer pour tous*, Paris, Desclée de Brouwer, 1987.

17. Joseph Ratzinger et Vittorio Messori, *Entretien sur la foi*, Milan, Paoline, éd. française Paris, Fayard, 1985.

18. Hans Küng, *Credo*, Munich, R. Riper Verlag, 1992, trad. française Paris, Le Seuil, 1996.

Renoncer à Satan

1. Voir sur cet ensemble de questions G. von Rad, *La Genèse*, Genève, Labor et Fides, 1968 ; C. Westermann, *Genesis 1-11, A Commentary*, Minneapolis, Augsburg Pub. House, 1984 ; Lytta Basset, *Guérir du malheur*, Paris, Albin Michel, 1999 ; Paul Ricœur, *Le Mal, un défi à la philosophie et à la théologie*, Genève, Labor et Fides, 1986 ; Paul Ricœur, *Vivant jusqu'à la mort*, Paris, Le Seuil, 2007.

2. Cités par Lytta Basset, *op. cit.*

3. Sur cette question, je me permets de renvoyer à mes livres *Le Dieu de Jésus*, Paris, Desclée de Brouwer-Grasset, 1997, et *Dieu malgré tout*, Paris, Stock, 2005.

4. Cité par Jean Delumeau, *Guetter l'aurore*, Paris, Grasset, 2003.

5. Joseph Ratzinger, *Foi chrétienne hier et aujourd'hui*, Paris, Mame, 1969.

6. Cité par J.-P. Labarrière dans sa préface au livre *Sur la souffrance*, Paris, Le Seuil, 1995, qui regroupe divers écrits de Pierre Teilhard de Chardin.

7. Constitution « Gaudium et Spes », 13.

8. Paul Ricœur, *Soi-même comme un autre*, Paris, Le Seuil, 1990.

Table

9439

Composition
NORD COMPO

Achevé d'imprimer en France
par ROSÉS
le 5 novembre 2010.

Dépôt légal novembre 2010.
EAN 9782290024157

ÉDITIONS J'AI LU
87, quai Panhard-et-Levassor, 75013 Paris

Diffusion France et étranger : Flammarion